図解 即 戦力 豊富な図解と丁寧な解説で、知識0でもわかりやすい！

情報セキュリティの

技術と対策が

しっかりわかる

これ1冊で 教科書

サイバーエデュケーション
株式会社
中村行宏　若尾靖和　林静香

JN041368

技術評論社

はじめに

　昨今、新型コロナウイルスが流行し、それに伴い、急速に「テレワーク（在宅勤務）」「オンライン授業・面接・商談」「脱・ハンコ文化」の波がやってきました。それらを実現するには、IT（Information Technology）の力が必要になります。これまでは、ITを活用できると便利だな、という感覚が強かったと思いますが、今ではITを活用しないと、経済活動が難しいという深刻なレベルになってきています。

　ITは便利な反面、危険な面も持ち合わせます。これまで、不正送金、情報漏洩、（身代金を要求する）ランサムウェア感染など、さまざまなニュースがありました。それらすべての被害を防ぐのは、至難の技ですが、情報セキュリティを知っていれば、多くの被害を未然に防ぐことができたと思います。

　それでは、被害を防ぐには、どうしたらよいのでしょうか？
　選択肢1：情報セキュリティの専門家に頼む
　選択肢2：自分で、情報セキュリティを学ぶ
　選択肢3：何もしない（運に任せる）

　コスト（お金）の面からお勧めしたいのは「選択肢2」です。最初からすべてを学ぼうとするのではなく、ご自身の興味ある分野から「つまみ食い」していただければよいと思います。「つまみ食い」を続けていたら、気付けば「完食」しているはずです。

　残念ながら日本は、情報セキュリティ"後進国"だといわれています。この一冊が日本にとって、情報セキュリティ向上の一助になれば嬉しいです。

2021年4月
著者一同

目次　Contents

1章
セキュリティの概念と 対策の方針

2章
サイバー攻撃の手法①

5章
情報セキュリティの管理

6章
情報セキュリティ対策の基礎知識

1章

セキュリティの概念と対策の方針

この章では主に情報セキュリティ全体について解説します。とくに「情報資産」にまつわる「リスク」「脆弱性」「脅威」「不正のメカニズム」は重要なポイントとなるので、しっかりと理解していきましょう。

01 情報セキュリティとは

私たちの世界は高度な情報社会へと成熟していますが、その結果として、情報セキュリティの重要性はますます高まっています。ここでは主に「情報セキュリティ」とは何かについて解説します。

● 情報セキュリティの定義

　情報セキュリティの究極の意味は、「情報資産を守ること」です。それでは、「情報資産」とは何でしょうか。それは組織にとって何らかの資産価値を生むものであり、具体的な内容は組織によって異なります。ある組織では顧客情報であったり、ある組織では特許であったりとさまざまです（P.016、018参照）。

　そして、これらの情報資産はさまざまなかたちで保管されています。すぐに思い浮かぶのは紙の文書ですが、そうした紙の文書も近年ではデータに置き替わっています（もちろん紙の文書がなくなったわけではありません）。データ

■ 情報資産を脅かす脅威はさまざまなかたちで守られる

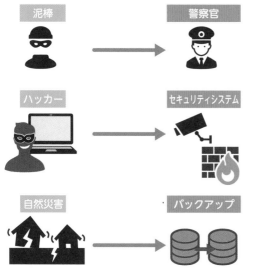

はパソコンのハードディスクやSSDに保存されるだけではなく、会社に設置されたサーバーや外部のクラウドにも保存されます。持ち歩き可能なスマートフォンやUSBメモリなどに保存されるデータも大切な情報資産といえます。

　つまり多くの場合、情報資産はさまざまな場所に主にデータとして分散して保存されています。保存されていると同時に、その情報資産はメールで送信されたり、サーバーからダウンロードされたりして、移動しています。組織にとって重要な情報資産は、まずはこのように扱われていることを理解してください。

　次にこうした情報資産をどのように守っていくか、ということになります。強盗などの物理的脅威から守ることも必要ですし、サイバー攻撃などの論理的脅威から守ことも欠かせません。また、事業継続のために、自然災害などの脅威も考慮する必要があります。前述したとおり、情報資産は分散して保存され、通信によって移動もしているということを考え合わせると、情報セキュリティ＝情報資産を守ることは、それほど容易なことではありません。

● 本書の位置付け

　本書は、「情報セキュリティ」を全般的に学びたい方、または、「情報セキュリティマネジメント試験」に合格したい方が、**幅広く「情報セキュリティ」を学べるように構成**しています。

　具体的には、以下の方々を読者対象にしています。
・情報セキュリティの分野で仕事をしている若手エンジニア（2〜3年以内）
・情報セキュリティの分野で営業、広告、広報などの業務を行っている方
・情報セキュリティの分野に就職／転職を考えている方（学生を含む）
・普段行っている業務以外にも情報セキュリティに興味がある若手エンジニア

まとめ

▶ **情報資産とは資産価値を生むものであり、組織によって異なる**

▶ **情報セキュリティとは、あらゆる脅威から情報資産を守ること**

02 情報セキュリティを構成する7つの要素

ここではまず、情報セキュリティの3大要素である「機密性」「完全性」「可用性」について解説します。また、この3つの要素に付け加えて理解すべき「真正性」「責任追跡性」「否認防止」「信頼性」の4つの要素についても確認しましょう。

● 機密性

機密性（Confidentiality）とは、許可されたユーザーだけが情報資産にアクセスできるようにすることです。許可されていないユーザーは、端末やデータにアクセスすることができないようにしたり、データを読むことだけを許可して変更はできないようにしたりすることを指します。そのため、情報漏洩防止、アクセス権の設定、暗号の利用などの対策が必要になります。

● 完全性

完全性（Integrity）とは、情報が正確であり、完全である状態を保持し、保護することです。つまり、情報が改ざんされたり、破損されたりしてしないことを指します。同時に、その情報が古いものであった場合も完全性が損なわれていることになるので、最新の情報である必要があります。そのため、改ざん防止、検出などの対策が必要になります。

● 可用性

可用性（Availability）とは、許可されたユーザーが必要なときにいつでも情報資産にアクセスできるようにすることです。サーバーが停止したり、パソコンが壊れたりした場合、この可用性が損なわれることになります。そのため、電源対策、システムの二重化、バックアップ、災害復旧計画などの対策が必要になります。

■ 情報セキュリティを成立させる3大要素

　付加的要素である、「真正性」「責任追跡性」「否認防止」「信頼性」についても理解しておきましょう。以下はそのポイントになります。

■ 3大要素に加えて重要な4つの要素

要素名	定義	対策
真正性 (Authenticity)	ユーザーや情報そのものが本物であることを明確にすること	デジタル署名、多要素認証、生体認証などを導入する
責任追跡性 (Accountability)	ある行為が誰によって行われたかを明確にすること	アクセスログ、操作ログなどのログを取得する
否認防止 (Non-Repudiation)	情報の作成者が作成した事実をあとから否認できないようにすること	取得したアクセスログ、操作ログなどが改ざんされないようにする
信頼性 (Reliability)	情報システムの処理が、欠陥や不具合なく確実に行われること	システム不具合などが発生しないよう、余裕ある設計と検証を実施する

まとめ

▶ 情報セキュリティ対策とは、3大要素である「機密性」「完全性」「可用性」に加え、4要素（「真正性」「責任追跡性」「否認防止」「信頼性」）に準拠すること

03 OECDセキュリティ ガイドライン

OECDセキュリティガイドラインという指針をご存じでしょうか。セキュリティに携わる人であれば、このガイドラインを知らない人はいないといっても過言ではないほど、広く浸透したものです。この概要について見ていきましょう。

● OECDセキュリティガイドライン

OECDセキュリティガイドラインとは、OECD（Organization for Economic Co-operation and Development）経済協力開発機構が策定した、情報システムやネットワークなどのセキュリティ確保に関する指針です。1992年に策定され、2002年に改訂されました。セキュリティの観点から、情報システムやネットワークを利用する際に意識すべきことなどが9原則にまとめられており、各国の企業やユーザーにセキュリティ意識を普及させることを目的としています。

2002年に改訂されたガイドラインには、以下の特徴があります。

- **「セキュリティ文化」の提唱**
  情報システムを利用する際には、新しい思考および行動の様式を取り入れることが提唱されました。
- **情報通信ネットワーク社会を前提**
  インターネットの浸透や携帯電話などの新しい通信手段が普及したことに着目しています。
- **個人を含むすべての参加者が責任を負う**
  従来は、「政府や企業」が対象でしたが、「個人」も対象に含めています。
- **情報セキュリティマネジメントの概念の導入**
  変化の激しい情報システム・セキュリティに追随するため、マネジメントの概念が導入されています。

ガイドライン（2002年度策定）には、大きく9つの原則が提唱されています。

■ OECDセキュリティガイドラインの9原則

9原則	概要
認識の原則 (Awareness)	情報システムおよびネットワークの開発、サービス提供などを行う政府、企業、その他の組織および個人利用者（以下、参加者）は、情報システムおよびネットワークのセキュリティの必要性並びにセキュリティを強化するために自分たちにできることについて認識すべきである
責任の原則 (Responsibility)	すべての参加者は、情報システムおよびネットワークのセキュリティに責任を負う
対応の原則 (Response)	参加者は、セキュリティの事件に対する予防、検出および対応のために、時宜を得た、かつ協力的な方法で行動すべきである
倫理の原則 (Ethics)	参加者は、他者の正当な利益を尊重すべきである
民主主義の原則 (Democracy)	情報システムおよびネットワークのセキュリティは、民主主義社会の本質的な価値に適合すべきである
リスクアセスメントの原則 (Risk Assessment)	参加者は、リスクアセスメントを行うべきである
セキュリティの設計および実装の原則 (Security design and implementation)	参加者は、情報システムおよびネットワークの本質的な要素としてセキュリティを組み込むべきである
セキュリティマネジメントの原則 (Security management)	参加者は、セキュリティマネジメントへの包括的アプローチを採用すべきである
再評価の原則 (Reassessment)	参加者は、情報システムおよびネットワークのセキュリティのレビューおよび再評価を行い、セキュリティの方針、実践、手段および手続に適切な修正をすべきである

まとめ

▶ **OECDセキュリティガイドラインは、OECD加盟国が尊重すべき情報セキュリティの基本指針である**

04 リスク

リスクとは直訳すれば危険という意味になりますが、セキュリティにおいてはもう少し複雑な意味を持ちます。このリスクを理解するうえで重要になるのが「情報資産」「脅威」「脆弱性」といった言葉です。

● 情報資産

情報資産とは、具体的には以下のようなものを指します。

■ 情報資産の内容

分類	例
紙文書	契約書、履歴書 など
電子情報	個人情報、顧客情報 など
ハードウェア	端末、ネットワークデバイス など
ソフトウェア	OS、パッケージソフト など
サービス	通信サービス、情報処理サービス など
無形資産	企業ブランド、イメージ など
人	資格、技能などの経験を有する者

● 脅威

脅威とは、組織が保有する情報資産に対して損害を与える、または発生する可能性のあるもののことです。脅威は、3つに分類できます。

■ 脅威の内容

分類	例
物理的脅威	地震、台風、落雷、火災、洪水などの自然災害
技術的脅威	サイバー攻撃、マルウェア など
人的脅威	入力ミス、操作ミス、盗難、メール誤送信 など

脆弱性

脆弱性とは、脅威の発生を招くセキュリティ対策上の弱点のことです。
脆弱性は、3つに分類できます。

■ 脆弱性の内容

分類	例
物理的脆弱性	建物の耐震、耐火構造、盗難、紛失、不正侵入など
技術的脆弱性	ソフトウェアの不具合、アクセス制御の不備など
人的脆弱性	機密情報の管理体制の不備、施錠忘れなど

リスク

リスクとは、損害や影響を発生させる可能性のことです。
「リスク = 情報資産×脅威×脆弱性」として表現され、下図のように3つの
円の交わった場所がリスクになります。

■ リスクのイメージ

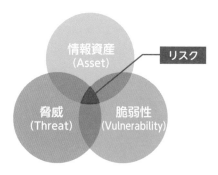

まとめ

▷ リスクは、損害や影響を発生させる可能性のことであり、「情
報資産×脅威×脆弱性」として表現される

05 情報資産とは

情報資産については、これまでにも解説してきましたが、守るべき資産をはっきりと把握しておかないと、セキュリティ対策も施せません。ここでもう一度情報資産について詳しく見ていきましょう。

● 紙文書／電子情報

　紙文書とは、紙に記載された情報全般のことを指します。情報化社会となった今でも、紙の文化は存在しています。それは、まだ紙で書類を保存しなければならない法制度の遅れと、紙を愛する文化、押印を信仰する文化に依存しています。とはいえ、今後、紙文書は少なくなり、多くがデジタルに置き替わっていくことでしょう。

　電子情報とは、電磁媒体に保存された情報のことを指します。情報化社会への進展に伴い、個人情報、顧客情報などが電子記憶媒体に保存されるように変貌しつつあります。記憶媒体は、今日では多岐にわたります。ハードディスクやSSD、DVDなどが一般的ですが、持ち運び可能なSDカード、USBメモリといったものも記憶媒体に挙げられます。また、磁気テープによって大切な情報を保存している企業もあります。

● ハードウェア／ソフトウェア

　ハードウェアとは、パソコン、ルーターなどの物理的な各種デバイスのことを指します。ハードウェア単体では機能しないので、後述のソフトウェアとともに活用することで、機能を発揮します。

　ソフトウェアとは、各種プログラミングの産物のことを指します。ソフトウェアもハードウェア同様に、ソフトウェア単体では機能しないので、ハードウェアとともに活用することで機能を発揮します。なお、ソフトウェアを使用するためのライセンス情報も当然資産に含まれます。

◉ サービス

サービスとは、視覚化が難しいが、提供したり、提供されたりするかたちのない財のことを指します。財であるため、そのやり取りには、労働的または金銭的な対価が発生します。

◉ 無形資産

無形資産とは、目に見えないブランドや企業イメージのことを指します。目に見えないものなので視覚化できず、価値の判断が難しいため、人それぞれ、その価値が異なることがあります。しかし、ブランドイメージ1つとってみても、売り上げの10%以上をその維持のために使っている企業もあるため、目に見えないといっても企業にとっては大切な資産であることに変わりはありません。

◉ 人

人とは、人財のことであり、企業などの組織が活動を行う際に必要となるリソースのことを指します。ハードウェア、ソフトウェアなどが揃っていても、それらを操作する人がいないと、それらの機能を発揮することができません。

■ 情報資産の内容

| 紙文書 | 電子情報 | ハードウェア | ソフトウェア | サービス | 無形資産 | 人 |

まとめ

▸ **情報資産には有形資産と無形資産がある**

06 | 脅威の種類

ここでは脅威について、次の節では脆弱性について解説していきます。この2つはすでに解説していますが、P.017の図からもわかるとおり（円が重なっています）、重複する内容がある点を理解して読み進めてください。

● 物理的脅威

物理的脅威とは、地震、台風、落雷、火災、洪水などの自然災害やハードウェア障害などに起因する脅威を指します。ハードウェア障害については、人によってもたらされる障害も含まれます。これは後述する人的脅威と重なりますが、悪意がなくてもたとえばノートパソコンを落として破壊してしまうこともあるでしょう。物理的に破壊される要因はすべては、この物理的脅威に当てはまります。

■ 物理的脅威

| 地震 | 洪水 | ハードウェア障害 |

● 技術的脅威

技術的脅威とは、サイバー攻撃、マルウェアなど、プログラムの不具合や脆弱性を攻撃することに起因する脅威を指します。本書では多くのページを割いて、この技術的脅威について解説していきます。プログラムの内部に関わる問題だけに、しくみを理解することが対策の第一歩となります。

■ 技術的脅威

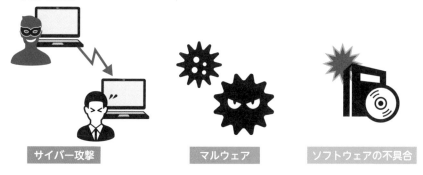

サイバー攻撃　　　　　マルウェア　　　　ソフトウェアの不具合

○ 人的脅威

　人的脅威とは、入力ミス、誤操作、盗難、メール誤送信などに起因する脅威を指します。単純なミスから確信的犯行までが、この人的脅威に含まれます。ある統計では、セキュリティ被害のもっとも大きな要因がこの人的脅威であると報告されているほど、人的脅威の対策は欠かせないものとなっています。

■ 人的脅威

誤操作　　　　　　　盗難・紛失　　　　　　メール誤送信

まとめ

▷ 脅威は「物理的脅威」「技術的脅威」「人的脅威」の3種類に分類できる

07 脆弱性の種類

脆弱性とはもともとリスク要因となる弱点や欠陥のことを指します（P.017参照）。
脅威との類似点や相違点を理解するうえでも、もう少し詳しくこの内容を見ていき
ましょう。

● 物理的脆弱性

　物理的脆弱性とは、建物などの設備の不備やハードウェア障害などのように
物理的に起因する脆弱性のことを指します。下図にもあるとおり、地震や火災
などの自然災害、人による盗難・紛失などが挙げられます。ハードウェアの障
害については、機器自体が経年劣化などで自然に故障する場合だけではなく、
操作をミスするなどして人為的に障害を招いた場合も含まれます。

■ 物理的脆弱性

自然災害　　盗難・紛失　　ハードウェア障害

● 技術的脆弱性

　技術的脆弱性とは、ソフトウェアの不具合、アクセス制御の不備、不正アク
セス、マルウェアなどのように、技術的な不具合や不備に起因する脆弱性のこ
とを指します。物理的脆弱性と比べると、原因の特定や検知ができない場合も
あり、対策が難しいという特徴があります。

ソフトウェアの不具合

アクセス制御の不備

マルウェア

◯ 人的脆弱性

人的脆弱性とは、組織や人、管理体制の不備や施錠忘れなどのように、人に起因する脆弱性のことを指します。「人」が大きなポイントになるだけに、管理システムの強化だけでは脆弱性を解消できないところが難点といえます。

■ 人的脆弱性

管理体制の不備

施錠忘れ

誤操作

まとめ

▶ 脆弱性は、「物理的脆弱性」「技術的脆弱性」「人的脆弱性」の3種
類に分類できる

08 人為的不正のメカニズム

人はいつ、どのような状況になると不正を行ってしまうのでしょうか。不正行動の研究は以前から行われており、3つの要素が揃った場合に、不正が発生するといわれています。

● 動機

動機とは、不正を行うしかないと考えるに至ってしまった事情です。人はさまざまな事情で"追い込まれて"しまうことがあります。とくに極限状況に置かれてしまうと、不正を働く可能性は高まるものです。具体例としては以下のようなものが挙げられます。

- ・金銭上の問題（トラブル）がある
- ・上司、部下、同僚や家族、親族との人との問題（トラブル）がある
- ・仕事上の強いプレッシャーがある
- ・プライドが高く、失敗談や不安を人に話せず、一人で問題を抱え込んでいる

● 機会

機会とは、不正を行う環境があることを指します。具体例としては以下のようなものが挙げられます。職場環境が対象となりますが、現代ではテレワークやモバイルワークなど、ワークスペースも広がりを見せています。職場環境が広がるということは、機会も広がっていくと考えられなくもありません。今後はこうした時代の変化にも目を向けていく必要があります。

- ・同一人物が、請求業務と入金業務を行っている
- ・上長が、経費申請などの承認を形式的に行っている
- ・商品が紛失しても、盗難被害にあっても、発覚しない

● 正当化

　一般の人は不正を行う際に"罪の意識"と格闘します。**正当化**とは、不正を行うために、自身を納得させる理由付けのことを指します。具体例としては以下のようなものが挙げられます。

　　・会社存続、同僚や部下を守るために仕方なくやる

　　・個人のノルマ達成、保身のために仕方なくやる

　下図は、**不正のトライアングル**と呼ばれ、不正を行う要素の「動機」「機会」「正当化」の相関を表しています。不正のトライアングルでは、この3つが揃ったときに不正が発生しやすいとしています。もっとも対策を施しやすいのは、「機会」を排除することです。前ページで挙げた具体例についていえば、請求業務と入金業務を行う人は必ず別の人にするなど、しくみをきちんと作っていけば「機会」は排除できます。さまざまな対策を立てていくうえで、こうした不正のトライアングルを理解しておくことは重要になります。

■ 不正のトライアングル

　　　　　　　　　　　動機
　　　　　　　　　(Motivation)

　　　　　　　　　　不正
　　　　　　　　　(Fraud)

　　　機会　　　　　　　　　正当化
　(Opportunity)　　　　(Rationalization)

まとめ

▷ **不正は「動機」「機会」「正当化」という要素が相関するときに起こる可能性の高い事象である**

この1章では「セキュリティの概念と対策の方針」という文字どおり、概念的な内容を解説しました。エンジニア傾向・志向の強い読者であれば、苦手な章だったかもしれません。しかしこの1章は、想像以上に大事な内容を解説しています。

　エンジニア同士で会話する場合は、技術的なことが重要になるのでこの1章は業務上必須とはいえません。しかし、社内外の経営層（マネジメント）との会話や説明資料作成に、ここでの内容は必要になります。多くの経営層は、技術的な細部ではなく、大枠となる「概念的」な内容を好む傾向にあります。そのため、経営層に情報セキュリティの技術的な話を説明する際には、IT（基礎）の話をしてそれから情報セキュリティの話をする必要があるからです。

　一方、情報セキュリティ資格取得に興味のある方も、この1章は大事になります。とくに国内の資格試験にチャレンジする方は、必須といってよいでしょう。なぜなら、ここでの内容は必ず問題として出てくるからです。いったん概念が頭に入れば、この種の問題は得点をゲットできるチャンス問題になるので、しっかりと取り組まれることをお勧めします。

■ 1章の重要性

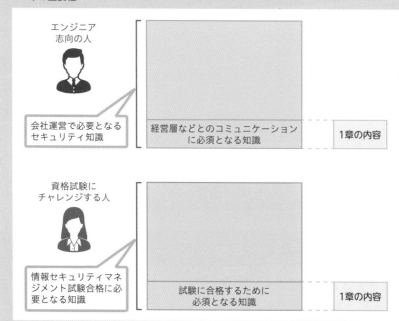

2章

▼

サイバー攻撃の
手法①

サイバー攻撃の手法は多岐にわたるため、2つ
の章に分けて解説します。ここではあまり細か
なしくみにまでは触れていないので、まずはこ
の2章に目を通してから3章を読み進めていた
だくと理解が深まるでしょう。

09 サイバー攻撃の攻撃者

サイバー攻撃やサイバーセキュリティ上の不正を行う攻撃者は、どのような人たちなのでしょうか。ここでは攻撃者について分類し、その特徴を解説します。攻撃を防御するためにも、攻撃者と攻撃内容について知っておくことは重要です。

● スクリプト・キディ

　スクリプト・キディとは、インターネット上に公開されている、他人の作ったサイバー攻撃用の「スクリプト」を使う「お子様（キディ）」という意味です。サイバーセキュリティやサイバー攻撃に興味を持ち、ツールを使えば比較的容易に実現できる攻撃を行う初心者を指します。

　彼らの行う攻撃に対しては、すでに対策されているものがほとんどで、適切なセキュリティパッチを適用するなどすれば、防ぐことができます。ただし、DDoS攻撃（P.110参照）やエクスプロイト攻撃（P.116参照）など対策が難しく、初学者でも比較的容易に実現できる攻撃も存在します。

■ スクリプト・キディの特徴

・興味本位で行動
・セキュリティ・システムの初学者
・攻撃に詳しくない
・攻撃の痕跡を残すことが多い

● 愉快犯

　かつてのサイバー攻撃者のほとんどは**愉快犯**とされていました。スキルを誇示したい、ハッカーとして有名になりたいといった自己顕示欲や他者を攻撃し反応を見て楽しむといった動機で攻撃を行う、いわゆる「困った人」たちです。

　Webサイトに対してセキュリティ上の脆弱性を発見し、親切心で忠告しているつもりで攻撃しているつもりはなかった、など自分本位な理由で正当化し

やすいのも特徴です。10〜20代の若い人に多く、サイバー攻撃自体が犯罪であるという意識はあるものの、軽率な行動であることが多いようです。

■ 愉快犯の特徴

・自己顕示欲、他者優位性が強い
・セキュリティ知識が高い
・システム上のモラルはあるが欲求が勝る

● 故意犯

内部犯、詐欺犯、海外ではサイバーテロリストや、国家単位で行うサイバー攻撃者（国家公務員という立場になるのでしょうか）などが**故意犯**に該当します。米国マイター社が運営するMITRE ATT&CK（マイター・アタック）には、実在するサイバーセキュリティ集団に関するレポートが多数公開されています。集団の特徴・バックグラウンドや、実際に行った攻撃の手口に関する詳細が閲覧できます。

■ セキュリティ脅威となる集団のページ
（マイター・アタック：https://attack.mitre.org/groups/）

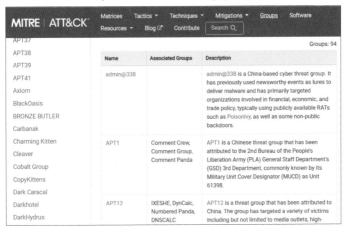

故意犯に対して、過失や注意義務を怠った結果、攻撃者に加担してしまう場合は過失犯となります。

◉ 内部犯

内部犯は、組織にとって重要な情報を窃取・持ち出し・漏洩するタイプの攻撃者です。知らないうちに情報漏洩を犯してしまう、過失犯も含まれます。

サイバー・インシデント（セキュリティに関する事件・事故）を一度起こすと、法人や組織にとってネガティブな情報を報道されてしまい、重要な顧客情報や企業秘密を守れなかった加害者と見られることも少なくありません。

内部不正の対策は外部からの攻撃防止策とは異なる難しさがあり、近年ではセキュリティ事故に関する保険なども登場しています。

■ 内部犯の特徴

・組織内の人間
・セキュリティ知識が低く、過失の場合もある
・外部からの攻撃とは異なる対策が必要

◉ 詐欺犯

詐欺犯は、サイバー攻撃に限らずさまざまな手段を用います。不正送金を促したり、金銭の搾取を目的として取引先を装ったりなど、サイバーセキュリティに該当しない手口も使って詐欺行為を行います。

詐欺犯はメールアドレスや、取引に応じやすい利用者のリストを入手することを目的としたり、アカウント名を売買するケースや、SNS上で対象を特定の企業・組織に絞り近づく標的型攻撃を行うケースなどがあり、その構成も組織犯・単独犯さまざまです。

人間の心理につけこむことが多く、高度なスキルを要する攻撃を利用することなく、個人情報などを不正に搾取するケースが多いようです。

■ 詐欺犯の特徴

・金銭・アカウント収集などが目的
・受動的攻撃を行う
・組織犯・単独犯様々存在する
・人間の心理に付け込む

● ボット・ハーダー

　ハーダー（Herders）は英語で「牧畜民」の意味であり、サイバーセキュリティにおける**ボット・ハーダー**とは、ボット（マルウェアに感染したパソコン）を操る人という意味です。

　マルウェアなどを通してボットを複数操り、ボットネット（botnet：連動する多数のボットのネットワーク）を構築し、C&Cサーバー（Command & Control Server：マルウェアへコマンドや指示を送るボットネットを管理する中枢サーバー）で情報を収集して目的を達成します（P.033参照）。

　ボット・ハーダーやマルウェア製作者と、セキュリティ企業との闘いは日々高度化し、まさにいたちごっこの様相を呈しています。アンチウイルスソフトやWAF（Web Application Firewall）（P.184参照）、IDS（Intrusion Detection System）（P.188参照）などで対策しても、攻撃を検出されないよう秘匿化・難読化を繰り返し、年々複雑化しています。

■ ボット・ハーダーのイメージ

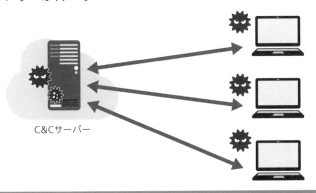

C&Cサーバー

まとめ

▸ **近年ではさまざまな攻撃者が存在し、規模・手口・動機がそれ
ぞれ異なる**

▸ **被害を与えた場合、過失であっても攻撃者に加担した加害者と
なる**

10　サイバー攻撃の手法

攻撃者はサーバー、パソコン、スマートフォン、近年ではIoTなどを攻撃対象として
ネットワークを通じ不正アクセスを行い、さまざまな活動を行います。ここではマ
ルウェアを中心としたサイバー攻撃の手法について解説します。

● マルウェア

　近年コンピューターウイルスに代わり、マルウェアという言葉を耳にするよ
うになりました。**マルウェア**（malware）とは「マリシャス "malicious" ＝悪意の
ある、"software" ＝ソフトウェア」の略語です。コンピューターウイルスを含む、
悪意を持ったソフトウェア全般を指す言葉です。

　マルウェアはその特徴からさまざまな種類が存在します。便利なツールや無
償ソフトウェアに含まれる**トロイの木馬**、自己増殖機能のある**ワーム**、プログ
ラムを改変し機能不全に陥れる**ウイルス**、遠隔操作可能にする**バックドアボッ
ト**、ドキュメントファイルを暗号化し身代金を要求する**ランサムウェア**、感染
したパソコンの情報を収集・外部へ送信する**スパイウェア**などです。

　マルウェアの特徴を大別すると「ウイルス」「トロイの木馬」「ワーム」の3種
類に分類されます。

■ マルウェアの特徴

種類	増殖方法	感染方法
ウイルス	自己増殖	宿主となるプログラムを改変
トロイの木馬	ダウンロード	正規プログラムを偽装
ワーム	自己増殖	単体で活動

● ボット／C&Cサーバー

　ボット・ハーダーの解説でも触れましたが、**ボット**（bot）はボット同士がネットワーク（ボットネット）を形成するタイプのマルウェアのことです。ボットに感染しコントロールを奪われたパソコンのことをボット化するといい、ゾンビ端末、ゾンビコンピューターと呼ばれることもあります。

　C&Cサーバー（Command and Control Server）は、ボットネットに対してコマンド送信・遠隔操作などを行います。ボット化したパソコンをC&Cサーバーから操り、さらなる感染拡大や、フィッシングメールの大量送信、多数のボットから**DoS攻撃**（P.107参照）などを行います（多数の端末からDoS攻撃を行うことをDDoS攻撃といいます）。

　C&Cサーバーを中枢としボット感染を拡大する代表的なマルウェアに、**エモテット**（emotet）や**ミライ**（Mirai）などがあります。

■ボット攻撃のしくみ

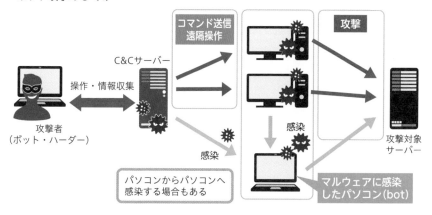

● ブートセクタ・ウイルス

　ブートセクタ・ウイルスは、ブートキット（Bootkit）と並んで危険度が高いとされるウイルスです。ブートキットやブートセクタ・ウイルスについて、感染時の深刻度を理解するにはシステムのしくみを知る必要があります。

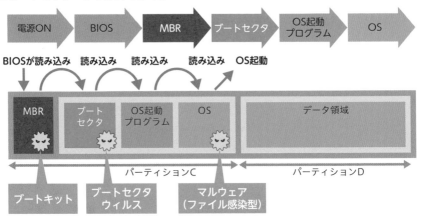

■ ブートセクタ・ウイルスのしくみ

上の図はシステム起動時の実行順序と、システムが読み込むデータ領域のどこにマルウェアが存在するかを図示したものです。

システムは電源をONにすると、まずBIOS（またはUEFI）が起動します。BIOSはシステムの「MBR：マスタ・ブート・レコード」（またはGPT：GUID・パーティション・テーブル）を読み込むよう設定されています。読み込まれたMBRにはOSを起動するプログラムである、ブートローダーがあります。

このブートローダーはシステム領域（OSがインストールされたパーティションCの領域）を記憶しています。ブートローダーはシステム領域から、OS起動プログラムを起動することでOSが起動します（システム領域以外のデータ領域にあるブートセクタもこのとき読み込まれ、システムに認識されます）。

図に示したとおり、ブートキットやブートセクタ・ウイルスはOSよりも前に呼び出される領域に感染し、バックグラウンドで活動を行います。ブートローダーの機能を代替して起動・潜伏し、システムに悪影響を与える種類もあるため、アンチウイルスソフトが検知しないことがあります。また、検知して駆除プロセスが起動してもMBRやブートセクタに書き込まれているため駆除することができなかったり、駆除するとシステムが誤作動することもあります。OS領域に感染しないため、OS初期化や再インストールを行っても駆除ができず、感染を繰り返す特徴を持ちます。

● 複合感染型ウイルス

複合感染型ウイルスとは、ブート領域とファイル領域（プログラムファイル）の両方に感染するタイプのウイルスです。

ブート領域からウイルスを駆除しても、システム領域に存在するプログラムファイルにも感染しているため、両領域に存在するウイルスを駆除しない限り感染を繰り返します。

開発に高度な技術を要するため、感染例やその種類は多くありませんが、トロイの木馬型マルウェアの機能を持つものは知らないうちに感染したり、ワーム特有の自己増殖機能で感染を広げたりと、もっとも感染力が強いウイルスの1つです。

● マクロ・ウイルス

文章作成ソフトや表計算ソフトのマクロ機能を悪用して作成されたウイルスを**マクロ・ウイルス**といいます。本来は文章への入力や、入力された値を自動で計算するためのアプリケーション付属のプログラムなので危険なものではありません。しかし、ファイルをダウンロードする機能を持たせることができるため、悪用することで知らないのうちに悪意のあるプログラム（マルウェア）をダウンロードさせることが可能です。

マクロ機能を有する代表的なソフトウェアにマイクロソフトのOffice製品がありますが、近年はマクロ機能をデフォルトで無効（インストール直後のまま変更しない場合はマクロが実行できない設定）にしているため、マクロ・ウイルスの被害は減少しています。ただし、メールなどに添付されるOfficeドキュメントを請求書関連のファイル名に装って開かせ、関係者になりすまして標的型攻撃によりマクロを実行させるなど、手口が巧妙化しています。

■ 標的型攻撃の偽装メールの例

　近年猛威を振るったマクロ・ウイルスに**エモテット (emotet)** があります。エモテットに感染するとパソコンに存在するメールアドレスを収集してエモテットウイルスを含むOfficeドキュメントの再配布を行います。

　エモテットのボット化・感染拡大を繰り返すしくみは高度な技術を利用していますが、感染の入り口となるマクロ・ウイルスは高い技術を使っているわけではありません。添付されたファイルのマクロ処理を促す文言を使ったメール本文・題名・ファイル名で警戒心を解き、ファイルを開かせてマクロを実行させることで感染を広げるため、パソコンを利用する人間の脆弱性を突いた攻撃といえます。

● 攻撃の準備

　攻撃者は攻撃する目標（対象となる組織や人）をWebやSNS、関連する人物と接触するなどして収集し、有効な攻撃を分析・準備・実行します。とくに標的型攻撃に関する攻撃のプロセスや手口は、サイバー・キルチェーンやMITER ATT&CKといったフレームワーク、OSINTに代表される手法で知ることができます（次ページ参照）。サイバー攻撃に対する対策やペネトレーションテスト（実際に侵入を試みて、システムの脆弱性をチェックするテスト）計画などの設計に役立つほか、攻撃者が行う準備を知るうえでも有効な資料です。

● サイバー・キルチェーン（Cyber Kill chain）

サイバー・キルチェーンは、アメリカの大手軍需企業であるロッキード・マーチン社により提唱され、攻撃者の行動を軍事行動になぞらえて標的型攻撃を段階に分けてモデル化しています。

サイバー・キルチェーンは攻撃者が行う行動を分類・フレームワーク化しており、入り口対策・出口対策など各プロセスごとに行う対策の立案時などに役立ちます。

■ サイバー・キルチェーンの攻撃プロセスとその対策

偵察 (Reconnaissance)	対象（企業・組織・個人）の取引先や所属、所有するサーバーや利用中のSNSなどを調査。マルウェア配布・遠隔操作用のC&Cサーバー選定も行う
武器化 (weaponize)	マルウェアやダウンローダ、攻撃対象の所有する設備やサーバーにある脆弱性を突いたエクスプロイトを作成・実装する
配送 (Delivery)	対象の友人・知人・取引先になりすましてダウンローダやトロイの木馬型マルウェアなどを送付する
攻撃 (Exploitation)	サーバーやパソコンに存在する脆弱性を利用した攻撃を行い（エクスプロイト実行、バックドア設置）、さらに詳しい情報収集などを行う
インストール (Installation)	バックドアや情報収集ツール・リモート操作可能なマルウェアに感染させ、対象の内部ネットワークへ接続して攻撃可能な状態にする
遠隔制御 (Control)	対象の内部ネットワーク上にあるサーバーや管理情報へアクセスし、管理者権限を入手、C&Cサーバーから操作・管理・監視する
※1	
目的達成 (actions on objective)	情報の盗み出し・改ざん・破壊活動などの本来の目的行動を実行しつつ、痕跡を隠蔽する。長期間の活動もあれば数分で完了することもある
※1 感染拡大 (Lateral Movement)	アメリカウォッチガード社が提唱した新モデルに追加されたプロセス。ワーム機能などにより、ボット化を進めてボットネットを形成する

● OSINT（Open-Source Intelligence）

サイバー攻撃時の前段階に行う一般に公開された情報で攻撃対象の情報を収集する手法を **OSINT**（オシント：Open-Source Intelligence）といいます。サイバー・キルチェーンの偵察にあたるプロセスの代表的な手法です。

インターネット利用者の増加と、SNSが個人を知る重要な源泉となるにつれ、クローズド・ソースよりもオープン・ソースから得られる情報のほうが質・量ともに高くなっています。もっとも身近なOSINTツールの例として検索サイト（google、Yahoo!など）があります。OSINTは攻撃対象となる組織や個人の公開情報の入手・調査をさまざまなツールやサイトで行います。

　代表的なOSINTツールとサイトの組み合わせで、簡単に偵察が実現します。マルテゴ（Maltego）というツールと、ハブ・アイ・ビーン・ポーンドサイト（HavelbeenPwned Site）を組み合わせることで、X社に勤めるAさんの同僚Bさんのメールアドレスを利用し、Aさんへ標的型攻撃が行えるかどうかについて確認することができます。その具体例を以下に示します。

■ Maltegoをインストールすれば個人情報の検索が可能になる

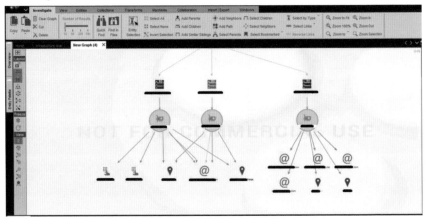

　Maltego（以下、マルテゴ）はターゲットのSNSアカウントやメールアドレス、組織のドメインなどを入力し、公開情報から入力値に関連のある情報を検索する、強力なOSINTツールです。Aさんをターゲットとしてマルテゴ検索を行い、同僚Bさんの業務用メールアドレスやSNSアカウントの検索など、公開されている情報から調査・確認が可能です。

　マルテゴ検索により、同僚Bさんのメールアドレスを入手したと仮定します。その後は、過去のセキュリティ事故などによりパスワードや機密情報が漏洩したアカウントを確認できるOSINTツール（サイト）としてハブ・アイ・ビーン・ポーンドサイトを利用します。サイトにメールアカウントを入力するだけでア

カウントに紐づく機密情報が漏洩したかどうかの事実と、漏洩したセキュリティ事故の詳細や漏洩した情報（パスワード・氏名など）が確認できます。

■ ハブ・アイ・ビーン・ポーンドサイトの画面

　Bさんがセキュリティ事故による漏洩の事実を知らずに放置し、パスワードを変更していなかった場合、攻撃者はBさんのメールアカウントに不正ログイン可能な状態になります。セキュリティ事故で漏洩した情報のほとんどはリスト化・売買を経て、パスワード辞書（P.043参照）として公開された情報から入手可能な状態になる可能性があるからです。

　攻撃者がパスワード辞書を利用し、Bさんのアカウントへ不正ログイン可能な場合、BさんになりすましてフィッシングサイトのURLやマルウェアを添付したメールをAさんへ送付することが可能になります。

● マイター・アタック（MITRE ATT&CK）

　マイター・アタックはP.029でも解説したとおり、アメリカにある非営利研究機関であるマイター社が提供する、サイバーセキュリティにおける標的型攻撃の戦術（技術情報・手法・テクニック）に関する知識集です。ATT&CKは、「Adversarial Tactics, Techniques, and Common Knowledge」の頭文字をとったもので、直訳すると「敵対的戦術とテクニック、共有知識」となります。また、マイター社はCVE番号（Common Vulnerabilities and Exposures：共通脆弱性識

別子）を管理しており、脆弱性診断ツールやペネトレーションテストツールなどはCVE番号を利用して設計・製造されたものが多く存在します。

■ サイバー・キルチェーンとマイター・アタックの対応

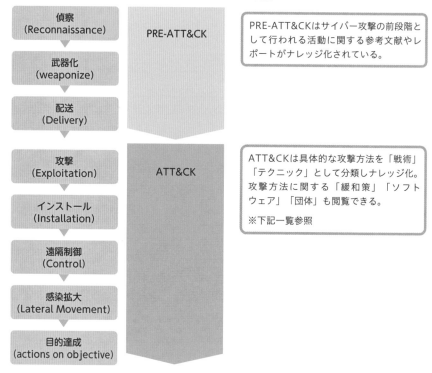

ATT&CK 構成要素	概要
Tactics（戦術）	攻撃方法・テクニックの分類
Tecniques（テクニック）	具体的な技術・手順・実行方法
Mitigations（緩和・防御策）	テクニックの弱体化・無効化・防御方法
Software（利用ツールなど）	テクニック、防御策で利用するソフトウェア
Groups（団体・組織など）	サイバー攻撃を行う団体・組織

ATT&CK 対象	具体例
Enterprise	Windows、Linux、MacOS など
Mobile	スマートフォン、タブレットなど
IoT (Internet of Things)	組み込み OS など ※未リリース
ICS (Industrial Control System)	産業用ハードウェアなど ※未リリース

　サイバー・キルチェーンは攻撃者の行動や概要を知るうえで有用なのに対し、マイター・アタックはサイバーセキュリティ上の具体的な攻撃方法や手順について文章化された知識集であり、サイバー・キルチェーンの各プロセスに対応しています。具体的な攻撃方法や実際に発生したサイバー攻撃などが、実在する組織と共にレポートされており、サイバー攻撃に関する情報を得るにあたり、非常に有用なサイトです。

まとめ

▷ **マルウェアとは悪意を持ったソフトウェア全般を指す言葉である**

▷ **感染箇所、動作、影響などによりさまざまな名称と種類のマルウェアが存在する**

▷ **標的型攻撃の手法を知る手段としてサイバー・キルチェーンやマイター・アタックなどが有名だが、攻撃者の行動や特性を知るだけでなく、セキュリティ対策にも活かすことができる**

11 パスワードを狙った攻撃

システムで利用されるパスワードは、暗号化されて保管されます。パスワード攻撃はパソコンに対してパスワードを解読するための攻撃をしかけますが、一方でマルウェアなどを利用して不正取得する攻撃もあります。

● ブルート・フォース攻撃

　暗号化処理とその解除方法は紀元前から存在しますが、現代のサイバーセキュリティにおいて対象となる暗号の解除は、ハッシュ値という特定の計算アルゴリズムで算出された文字列や、データベースに保管される文字列にアクセスするログイン処理やモジュールなどに対して行います。

　ハッシュ関数を用いたハッシュアルゴリズムには様々なもの（MD5やsha1、sha256など）が存在しますが、共通点はハッシュ値から元の値を計算することが不可能（不可逆）である点です。あるハッシュ値の元の値が何であるかは、ハッシュ関数を用いて元の値をハッシュ化することでしか知ることができません。

■ ハッシュ値はハッシュ関数を用いて算出され、不可逆

Tokyo	→	ハッシュ関数	→	62413a57c5e3dc51177995fa175d3286
Osaka				0d70a380fe641d8206c6d43c185b9c23
Fukuoka				f5d540492523ba1f8e1516239c6b60fb

　ブルート・フォース（brute-force）攻撃は、暗号解除処理の入力データとなる文字列を総当たりで探索する方法です。暗号に使われる文字列すべての組み合わせをハッシュ化してチェックを行うことで、ハッシュ化する前の文字列の復元を試みます。この方法を使うと確実にパスワード解除が行えますが、市販のコンピューターの処理スピードでは膨大な時間がかかり、現実的に解除が難しくなっています。

■ パスワードの組み合わせ数

文字の種類	文字数	4桁	6桁	8桁	10桁	12桁
数字のみ	10	1万	100万	1億	100億	1兆
英小文字のみ	26	45万	3億	2088億	141兆	9京5428億
英小文字+数字	36	167万	21億	2兆8211億	3656兆	473京
英大小文字+数字	62	1477万	568億	218兆3401億	84京9299兆	320000京

■ Windows ログオンパスワードの解析時間（組み合わせ数に対する計算時間）

文字の種類	文字数	4桁	6桁	8桁	10桁	12桁
数字のみ	10	1秒以下	1秒以下	1秒以下	1秒以下	23秒
英小文字のみ	26	1秒以下	1秒以下	5秒	55分	26日
英小文字+数字	36	1秒以下	1秒以下	66秒	24秒	3.5年
英大小文字+数字	62	1秒以下	1秒以下	84分	226日	2381年

※1秒間に40G（42,949,672,960）のハッシュ値を算出するパスワード解析マシンで試算

　処理時間を短くするため、GPU（Graphics Processing Unit）などを利用してハッシュ計算を行うことで、より高速なパスワード解除を試みるツールもあります。しかし、昨今では8桁以上のパスワードを利用することが一般化してきており、ブルート・フォース攻撃でパスワード解除を行うことはあまり有効とはいえません。

● 辞書攻撃／パスワードリスト攻撃

　辞書攻撃（Dictionary攻撃）はブルート・フォース攻撃では時間のかかりすぎるパスワード解除処理を、パスワードに設定された文字列やパスワード化されやすい文字列をリスト化して、パスワード解除処理の入力値にする手法です。**パスワードリスト攻撃**ともいわれ、ブルート・フォース攻撃では時間のかかりすぎる処理を短縮するために用いられます。

　辞書攻撃の入力となるパスワードのリストは、情報漏洩事故で流出したパスワードや、クラッカーが特定の組織や団体へ不正侵入して入手したパスワード文字列が集約され、「脆弱性のあるパスワード」としてテストを行う目的で公開されています。

■ 代表的なパスワードリスト

ファイル名	パスワード件数	概要
rockyou.txt	3200万件	情報漏洩事故により流出し、ダークWeb上などで取引されたパスワード。現在は無料でダウンロード可能
password.lst	3000件	パスワード解析ツール「John The Ripper」付属のパスワードファイル。無料
wordlist-yyyymmdd.zip	4000万件	John The Ripper開発元のOpnenwall社で提供されるテスト用パスワードファイル。$25〜で販売。※ファイル名のyyyymmddは日付

　WindowsOSにログオンするパスワードは、NTLMハッシュ関数でハッシュ化されレジストリ上に記録され簡単に取り出せます。取り出したNTLMハッシュは、単純なパスワードのハッシュ値であれば元の文字列を解読することができます。また、パスワードを入力することで脆弱なパスワードかどうか（過去に漏洩事故を起こしている脆弱なパスワードかどうか）を判別するサイトなどもあります。これらのサイトへ入力された文字列は、パスワードリストに記録され配布されてしまう可能性があるため、サイトへ入力した文字列をパスワードとして利用することはお勧めしません。

■ NTLMハッシュ値の入力でパスワードがわかるCrackStation
　（https://crackstation.net/）

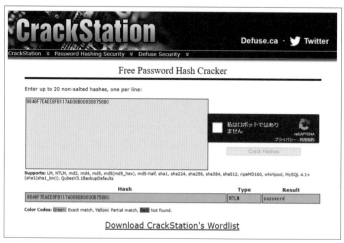

NTLMハッシュ値の逆引きサイトであるCarackstationでは、簡単なパスワードであればすぐに解読可能です。最下部にある「Download CarackStation's wordlist」をクリックすれば、解読されたパスワードをパスワードリストとしてダウンロードすることができます。

■ 脆弱なパスワードであるかどうかをチェックできるHaveibeenpwened
（https://haveibeenpwned.com/Passwords）

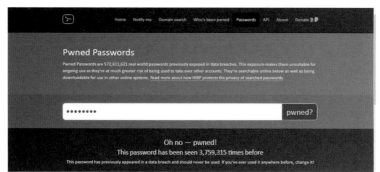

Haveibeenpwenedサイトでは、脆弱なパスワードかどうかを判別可能です。上の画面は脆弱なパスワードを入力した際の画面ですが、過去にハッキングや情報漏洩事故などにより、他者に3百万回以上閲覧された脆弱なパスワードであることが表示されています。

● レインボーテーブル

ハッシュ関数で生成された文字列は、完全に不可逆というわけではありません。ハッシュ値から元の値を算出することは不可能ですが、文字列から生成したハッシュ値を対応させる表をあらかじめ作成することで、パスワードを復元することができます。その対応表を**レインボーテーブル**といいます。単純な方法ですが、何億何兆という計算力が必要なブルート・フォース攻撃に対して、レインボーテーブル攻撃はパスワードに対するハッシュ値を導きだすのに計算力をほぼ必要としません。ただし、md5やsha1、sha256などをはじめ、実用されているハッシュアルゴリズムは数多くの種類が存在するため、膨大なデータ量が必要となります。

膨大なデータ量を少しでも節約するため、レインボーテーブルはチェイン化という作業を行い、データ量を圧縮します。チェイン化を行ったレインボーテーブルは現実的な容量で保存することができ、現在ではmd5やsha256といった、メジャーなハッシュ値のレインボーテーブル（8〜10桁程度のASCII文字）は販売もされています。

　ハッシュ関数を利用して不可逆にした値がレインボーテーブルなどにより可逆となってしまったら、システムに保存されたパスワードのハッシュ値は暗号化せずそのまま保存されている状態と同意になってしまいます。ハッシュ値から元の値を類推できないよう、現在システムで利用されているパスワード用のハッシュ関数には**ソルト**（Salt）と**ストレッチング**（Stretching）という手法を使い、ハッシュ値から元の値を割り出すことを防止します。

■ ソルトのしくみ

　ソルトとは、パスワードをハッシュ値にする前にランダムな文字列を挿入することです。8〜10桁の文字列に対しソルトを使い、20桁以上の文字列にしてからハッシュ化することで、現実的に解読不可能なハッシュ値を生成します。

■ ストレッチングのしくみ

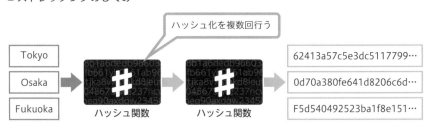

ストレッチングは、ハッシュ化を複数回行うことで、元のパスワードを解読
させない方法です。

　この2つの対策はレインボーテーブルに対して効果がありますが、ハッシュ
関数を使った計算は単純なアルゴリズムを使っているため、md5やsha256と
いった高速な計算が可能なハッシュ関数に対してはブルート・フォース攻撃に
よる脅威が残ります。現在ではargon2というGPUなどを利用した高速なパス
ワード解析マシンを対策可能なハッシュ関数も登場しているため、利用可能な
関数にargon2ハッシュがある場合は利用します。パスワード解析マシンを利
用した場合、BcryptやPBKDF2といった比較的計算に時間を要するハッシュ関
数も、ハードウェア性能の進歩により脆弱な暗号化方式となりつつあります。

● パスワード・クラック攻撃

　パスワード・クラック攻撃とは、ここまで解説したブルート・フォース攻撃
やパスワード・辞書攻撃などのパスワードに関する攻撃の総称ですが、ここで
は主にパスワードの不正取得、ログオンを回避する手法・ツールとその対策に
ついて解説します。

　マルウェアに感染することで、ブラウザに保管されたソフトウェアや
WindowsOSのログオンパスワードを不正に取得され、そのパスワードをもと
にログオンされるケースが存在します。ログオンされた状態でパスワード復元
ツールを利用すると、システム上のパスワードを抽出することができます。

　マルウェアに組み込まれることが多いパスワード復元ソフトウェアとして、
ミミカッツ（Mimikatz）やニアソフト（NirSoft）、サムインサイド（SamInside）
があります。これらのツールはダウンロードして実行するだけで、起動してい
るシステムやブラウザから簡単にパスワードが取り出せます。ただ、これらの
ツールはほとんどのアンチマルウェアソフトで検知されるため、仮にマルウェ
アに組み込まれても、パスワードの不正取得ツールとしてはほぼ機能しません。

■ NirSoft ではパスワードの復元ツールをダウンロードすることができる
（https://www.nirsoft.net/utils/web_browser_password.html）

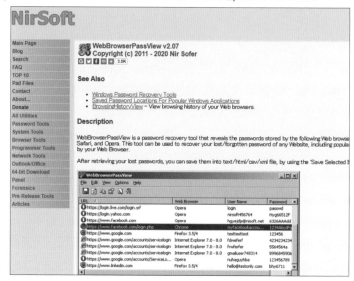

　ログオンを回避するツールも存在します。パスワード・アンロッカー
（Password Unlocker）や Kon-boot（コンブート）は、Windows や MacOS のログ
オン認証のパスワードを強制的に変更、もしくはパスワードそのものを削除す
るなどして、パスワードを忘れてしまったときの復元ツールとして誰でも利用
可能です。

■ コーンブート（ウィキペディアからもダウンロードできる：https://ja.wikipedia.
org/wiki/Kon-Boot）

　これらのツールはパソコンの所有者がパスワードを忘れてしまった場合など
は大変便利なツールですが、第三者が不正に利用することも可能です。対策と
しては、システムデータ領域に対して暗号化処理をかける、もしくはデータ領
域に暗号化処理を行うハードウェアが実装された製品を購入するなどが有効で
す。Windowsであればビットロッカー（Bitlocker）機能、MacOSではファイル
ボルト（Filevault）機能を使います。

　ディスク暗号化処理のなされていないシステムの場合、ほかのパソコンから
データディスクとして参照することができるため、パスワードを保管するファ
イルが取得可能な状態であることを意味します（もちろんパスワードの文字列
はハッシュ化されています）。ツールを利用したパスワード・クラックを行わ
なくても、暗号化されていないシステムはUSBメモリに保管したドキュメン
トのように外部から参照できるためパスワードファイルに限らず、写真やド
キュメントなど、利用しているファイルはすべて閲覧・持ち出しができること
を意味します。したがってデータ領域に対する暗号化機能は有効にすることが
必要といえます。

まとめ

- ▶ 文字列（パスワード）は不可逆なハッシュ値で保管される

- ▶ ハッシュ化されたパスワードを総当たりで復号することをブ
ルート・フォース攻撃といい、より利用されやすい文字列で復
号することをパスワード・辞書攻撃という

- ▶ OSシステムで利用されるログインパスワードは容易に取り出
すことができるため、ディスク領域を暗号化することで第三者
による不正アクセスを防止できる

12 マルウェア

昨今ではコンピューターウイルスによる被害は減少し、マルウェア感染がセキュリティインシデントの大半を占めています。ここではマルウェアの種類や特徴、動作について解説します。

● マルウェア

悪意のあるソフトウェアの総称である**マルウェア**ですが、その実態として、どんな傾向や特徴があるのでしょうか。

● 金銭目的がほとんど（個人の場合）

近年、個人に向けたマルウェアのほとんどは金銭搾取を目的としています。ブラウザ内のIDやパスワードを盗み、ECサイトやオンラインバンクで不正搾取を行ったり、広告を不正に表示して金銭の授受を行います。

一方で、セキュリティエンジニアが利用する調査ツールやOSINTツール、脆弱性診断ツールなどは、使い方次第ではマルウェアと呼ばれても仕方のないものも存在し、実際アンチウィルスソフトで検知されてしまうものもあります。昨今では大手企業が広告配信を効果的に行うために、利用者が知らないうちに情報収集を行っていたりするケースもあります。利用者の意図しないところで動作するものがマルウェアであるならば、対象となるソフトウェアは多岐にわたり、アンチウィルスソフトなどによる監視のみで対策することは難しくなっています。

● 機密情報を狙う標的型攻撃（法人の場合）

国防や通信を担う大手企業、ユーザーの資産を扱う法人などは、高度な標的型攻撃の脅威に常にさらされています。さまざまな手法が用いられますが、最終的にバックドアやボットなどのマルウェアを使い、対象となる法人や組織のパソコンを制御し、機密情報を搾取することを目的としています。

マルウェアの悪質な点は、それが「使い捨て」であることです。動作を変えずに自身のプログラムを変えることでさまざまな亜種が誕生するため、プログラムの内容からマルウェアと判断するアンチウイルスソフトの定義ファイルの更新が追い付かないのです。新種のマルウェアに感染すると、メールの大量送信や外部からの問い合わせなどによりはじめてマルウェア感染の事実に気付き、対策が後手に回ります。もしくはすべてが終わり、情報が不正に搾取されたことすら気付かないことがあります。

● **対策**

個人・法人いずれの場合も、マルウェアは使い捨てであるため、アンチウィルスソフトのスキャンだけでは対策が後手に回ります。ファイアウォールやWebアプリケーションの不正な動作を検知するWAF（P.184参照）、不正な通信を監視するIDS／IPS（P.188、190参照）などを導入して防御することが求められます。法人の場合はさらに内部犯が行う情報漏洩も無視できず、総合的な対策が必要となってきています。

○ ワーム

ワームは自己複製・自動感染を繰り返す機能を持ち、単体での活動が可能なマルウェアです。メールなどから侵入し、OSやアプリケーションの脆弱性を利用してネットワークを介して増殖を繰り返すものや、USBメモリに常駐して接続したパソコンへ感染していくものもあります。

ウイルスとは、狭義ではほかのプログラムに寄生して不正な動作を行うプログラムを指しますが、ワームは単独で活動するという特徴を持ちます。とくに、自己増殖機能と単独での活動が可能なマルウェアのことをワーム型といい、バックドアやランサムウェアの機能を持つ複合型マルウェアも存在します。

有名なワーム型のランサムウェアとして、ワナクライ（WannaCry）が2017年頃に猛威を振るいました。WindowsOSでネットワーク越しにファイルを閲覧する機能であるSMBプロトコルの脆弱性を利用し、ネットワーク内のパソコンからパソコンへ感染を広げました。

■ ワームのイメージ

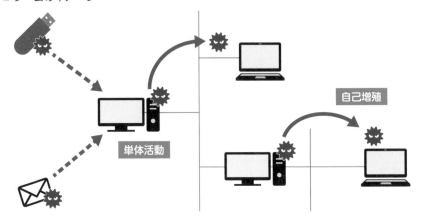

単体活動

自己増殖

● バックドア

バックドアとは、IDやパスワードによる認証を使った正規の入り口を経由せずに「裏口」からシステムに侵入することです。

攻撃者は標的とするパソコンに対してマルウェアやボットの感染に成功すると、より多機能な遠隔操作ソフトウェアであるラット（RAT：Remote Administration Tool）をバックドアとして仕掛け、システムを完全にコントロールしようと試みます。

ボットが、DoS攻撃やより高機能なソフトウェアをダウンロード＆実行するなど、特化した機能を持っているのに対し、RATではWindows標準で利用できるリモートデスクトップやチームビューワー（TeamViewer）、SSH、ブイエヌシー（VNC：Virtual　Network Computing）などの遠隔操作ソフトウェアなどが利用されます。

中には利用者に気付かれずにバックグラウンドでデスクトップ画面を攻撃者へ送信するソフトウェアも存在するため、RATを仕掛けられたシステムは攻撃者に対して全ての情報が筒抜けとなってしまいます。

攻撃者は標的となるパソコンでよく利用されるアプリケーション（ブラウザや表計算ソフトといったソフト）にRAT機能を持たせて改変したり、システムの起動と同時にバックグラウンドで自動起動するよう設定したりします。ほと

■ バックドアのしくみ

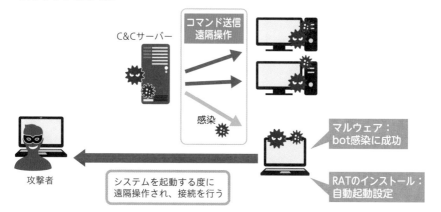

んどの場合、利用者は気付くことができません。

　バックドアはマルウェアではない遠隔操作ソフトウェアを利用するため、一度仕掛けられるとアンチウイルスソフトなどでは駆除されません。対策としては、通信を中継するプロキシサーバーを設置し、外部へ直接行う不正な通信を遮断したり、パソコン上でソフトウェアのふるまいを検知し遮断するセキュリティ・ソフトEDR（Endpoint Detection and Response）などを導入したりします。しかし、100%検知できるわけではなく、セキュリティの専門家に調査を依頼してはじめて発覚するケースも少なくありません。

⚪ トロイの木馬

　トロイの木馬は、ゲームや動画閲覧ソフト、便利なツールなど有用なプログラムを装ってインストールされ、利用者の意図しない動作を行うマルウェアの総称です。正規のプログラムを装い、内部からシステムを侵害するため、その様子をギリシャ神話の「トロイの木馬」になぞらえて呼ばれます。

　トロイの木馬には、アドウェアを内包したり、ランサムウェアやバックドアを内包したりするものなど、さまざまタイプが存在します。中でもキーロガーやパスワードの窃取を狙ったトロイの木馬は、インターネットを利用する不特定多数から収集する目的を達成しやすく狙いやすいため、昔から根強く存在するマルウェアです。

■ トロイの木馬のしくみ

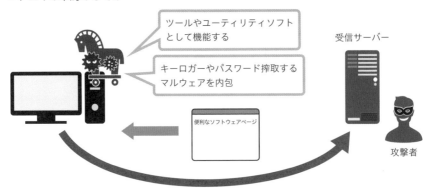

ツールやユーティリティソフト
として機能する

キーロガーやパスワード搾取する
マルウェアを内包

便利なソフトウェアページ

受信サーバー

攻撃者

キー入力情報やブラウザに保管したパスワードなど

　中国製ソフトウェアの一部には正規のプログラムながらキーロガーの機能を
持ち、キー入力された値を不正に送信するものも存在します。人気の動画投稿
ソフトウェアでさえ、キーロガー機能を内包し利用者の知らないところで不正
に情報を搾取していました。今やソフトウェアを使うときは、セキュリティに
関する情報を適切に入手して確認する必要性に迫られています。

◉ ランサムウェア

　ランサムウェア（Ransomware）は身代金を要求するマルウェアで、Ransom
（身代金）とSoftware（ソフトウェア）が語源となっています。感染するとパソ
コン上のドキュメントファイルや写真といったドキュメント類をアーカイブ化
し、解除キーと引き換えに金銭を要求します。身代金の要求はビットコインに
代表される仮想通貨が利用され、解除キーと引き換えに振り込みを行います（解
除キーが送信されるとは限りません）。

　ランサムウェアに感染してしまった場合、アンチウイルスソフトは何の役に
も立ちません。暗号化の解除は攻撃者が持つ解除キーを使うか、バックアップ
などから復旧するしか手立てがないからです。ただし、セキュリティベンダー
などが対策プログラムをリリースしている場合もあるため、暗号化されたファ
イルの拡張子を検索し、運よく解除プログラムが利用できることもあります。

○ MITB攻撃

MITB攻撃（Man In The Browser Attack）は中間者攻撃ともいわれ、ブラウザ内に感染し特定サーバーへの通信の間に入って攻撃します。とくにオンラインバンキングなどに特化し攻撃を行うマルウェアとして知られています。

MITB攻撃で利用されるマルウェアは、メールやフィッシングサイトなどから感染し、ブラウザで行うサーバー通信との間に割り込み、キーロガーや通信のキャプチャを行い、その情報をC&Cサーバーなどに送信して悪用します。

■ MITB攻撃のしくみ

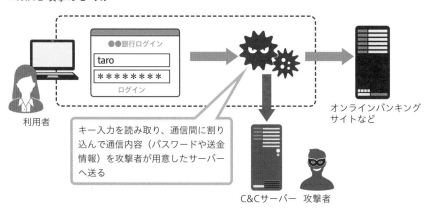

アンチウイルスソフトの定義を最新にするなどのマルウェア対策のほかに、オンラインバンクが行っているセキュリティ対策を行うことが重要です。不正送金対策の設定や、ワンタイム・トークンなどを利用することでMITB攻撃の対策となります。

まとめ

▶ **マルウェアは金銭を目的に、機密情報を狙う**

▶ **マルウェアのほとんどは「使い捨て」であり、不正な通信やプログラムの動作を検知する新しい対策を導入する必要がある**

13 スパイウェア

スパイウェアはツールの動作や仕様をよく確認しないまま、利用者が同意してインストールされることが多いソフトウェアです。ここではスパイウェアの特徴や種類について解説します。

● スパイウェア

スパイウェアの定義はあいまいですが、キーボードに入力した情報や、システムにインストールされたソフトウェアやパスワード、Web訪問履歴の情報など、パソコンの利用者に関する情報を収集・転送する機能を有する悪意のあるソフトウェアとして分類されます。

■ スパイウェアのしくみ

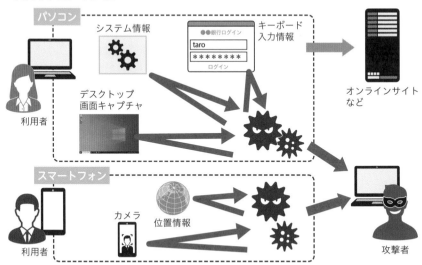

キーボードの入力情報を収集するキーロガーや、定期的にデスクトップ画面を送付する遠隔監視ソフトウェア、最近ではスマートフォンが管理する位置情報やカメラを使ったスパイウェアなどが存在します。正規のソフトウェアで

あってもある日突然スパイウェアに分類され、利用できなくなる場合もあります。

　スパイウェアはダウンローダーやドライブバイダウンロード（P.070参照）、トロイの木馬などでパソコンへインストールされるほか、ユーティリティツール・セキュリティスキャンツールを装いパソコン内に侵入します。マルウェアとの区別をあえて付けるとすれば、感染力を持たない点が特徴といえます。

● アドウェア

　アドウェアは攻撃者が広告表示で得る収入を目的としてユーザーに気付かれずにインストールされ、Webブラウザのポップアップ機能や、ホーム画面へ広告表示を行うアプリケーションです。キーロガーなどのスパイウェアと同様に感染力はありません。

　便利なツールとしてインストールした際に一緒にパソコン内に侵入するものや、Webブラウザの拡張機能としてダウンロードされるもの、また不審なサイトへアクセスしたときにスクリプトなどを利用者が意図せずダウンロードし、Webブラウザの機能を悪用して強制的に広告を表示させたりするものがあります。

　最近ではCookie情報を無断で搾取して関連する広告を表示したり、氏名・住所・SNSのアカウント名やパスワードなどの個人情報を攻撃者（広告配信元）が窃取したりします。

■ 承認することでマルウェアをダウンロードすることになる警告画面の例

また、「マルウェアに感染した」「セキュリティ警告」など、セキュリティ上の問題が存在するようにみせかけて利用者の恐怖心を煽り、悪質なマルウェアをダウンロードさせるものなどが存在します。

　アドウェアはセキュリティ上のリスクはマルウェアより低いものがほとんどですが、パソコンの利便性を阻害するだけでなく、悪質なマルウェアをパソコンへダウンロードしてしまうきっかけにもなるため、発見次第削除することが推奨されます。

● スパイウェア・アドウェアの対策

　アドウェアはマルウェアと同様に、**アンチウイルスソフト**による検知・駆除が有効です。アンチウイルスソフトの持つふるまい検知機能（レジストリやシステム領域へのアクセス、ブラックリストに登録されたサイトへの通信を検知）を利用した対策も有効です。

　また、位置情報やカメラを利用するユーティリティツールの中には、正規プログラムとして相手の監視や端末の遠隔操作を行うスパイウェアも数多く存在します。マルウェアとは異なり、ほかの端末への感染する危険性は少ないため、不審な動作をするソフトウェアや利用していないソフトウェアやツールは、**削除・アンインストール**することで対策が可能です。ただし、アンチウイルスソフトでは検知しない正規のソフトウェアを装った不正なソフトウェアも存在するため注意が必要です。

◎ ダイヤラー

　最近のように光回線やADSLといったブロードバンド回線が整備される以前は、電話回線を使用してインターネットを利用していました。**ダイヤラー**は電話回線を通じてインターネット接続を行うためにダイヤルアップを行うソフトウェアです。パソコンに接続されたモデムから電話をして通信を行います。

　不正なダイヤラーは、設定した架電先を国際電話やアダルトサービスに上書きして接続を行い、高額な情報料を請求したりします。

■ ダイヤラーのしくみ

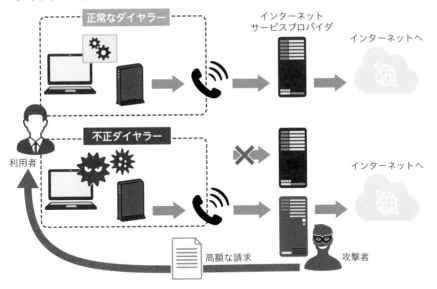

　スパイウェアやアドウェアと同様、感染力を持たないものがほとんどのため、対策はアンチウイルスソフトで行います。ほとんどのアンチウイルスソフトは悪質なダイヤラーを検知することができます。

まとめ

▶ スパイウェアは個人情報やID・パスワードを収集、不正に持ち出す機能を持つソフトウェアである

▶ アドウェアはブラウザのポップアップやバック・グラウンドで広告を表示させ、パソコンの利便性を損なうだけでなく、悪質なマルウェア感染の原因にもなる

▶ 悪質なダイヤラーは国際電話や有料電話番組などへ架電するよう設定し、高額な利用料の請求を行う

COLUMN セキュリティの脅威の正体を知れば
個人がハッキングされる可能性は低くなる？

　サイバーセキュリティ関連の業務に携わるまで、漠然と「パソコンの電源を付けて
インターネットに接続したままの状態でいると、ある日突然ハッキングされるのでは
ないか」と考えていました。しかし攻撃者の視点でセキュリティについて知り、さま
ざまなケースに携わってわかったことは、個人が被るセキュリティ被害のほとんどは、
使用者自身が行う怪しいメール開封・応答や、怪しいサイトへのアクセス、発行元が
不明なアプリケーション利用などがトリガーとなっているということです（利用して
いるサービスが起こすセキュリティ・インシデントは除く）。

　インターネットに接続しているだけで個人がハッキング被害にあうケースとして注
意すべきは、「Wi-Fi」と「ホームルーター」に気を付けるべきだと思います。家庭向け
ブロードバンド・ルーターやWi-Fiルーターなどは低価格化して入手しやすくなった半
面、セキュリティ面での考慮やテストが疎かになっている印象を受けます。実際、ホー
ムルーターや低価格のWi-Fiルーターには脆弱性が潜むことが報告されており、ファー
ムウェアのアップデートもバグフィックスが主であり、OSアップデートのように頻繁
なセキュリティ・アップデートは行われないようです。

　しかしながら、かつて私が漠然と抱いていた「インターネットに接続しているだけ
でハッキングされる」ことは稀だといえます。個人が遭遇するセキュリティ上の脅威
や被害のほとんどは、やはりマルウェア感染・フィッシング被害・なりすましなどが
大部分を占めています。この点を理解すれば被害に遭うケースを少なくする可能性は
高まるはずです。

　とはいえ、昨今はウィルス・パターンファイルの更新が追い付かないほど新種・亜
種のウィルスが検知されています。そうした現状を鑑みれば、アンチウィルスソフト
（Microsoft社のWindows Defenderなど）の利用は必須といえます。加えて、身に覚え
のないメールや怪しい添付ファイルは送信者に確認するなど、安易にアクセスしない
ことが大切です。セキュリティ対策の「基本」を遵守したうえで、レジストリの改変や
意図しない通信を監視する「ふるまい検知」型のセキュリティ対策ソフトなどを導入す
るとよいでしょう。

　漠然とした不安の中でインターネットを利用するよりも、存在するセキュリティの
脅威について正体を知ったうえで、インターネットを利用する、本書はその一助にな
るはずです。

3章

▼

サイバー攻撃の
手法②

ここでは主にサーバーを攻撃対象とした手法について、そのしくみも併せて解説していきます。2章と比べると少し踏み込んだ内容になっていますが、しくみを理解することで対策に関する理解も深まるはずです。

14 標的型攻撃

セキュリティエンジニアと、攻撃者であるハッカーやクラッカーとの闘いは「標的型攻撃」が代表的なもので、攻撃者の手口は年々巧妙化・多様化しています。ここでは代表的な標的型攻撃について解説します。

◎ 水飲み場攻撃

水飲み場攻撃（watering hole attack）は、標的とする特定の人や組織に属する人が頻繁に閲覧するWebサイトやSNSサイトを改ざんして、不正プログラムなどをダウンロードさせる攻撃です。改ざんされたWebサイトをサバンナの水飲み場になぞらえて、攻撃者が水飲み場にやって来た獲物（標的となった人）を待ち伏せしている様子から名付けられました。

■ 水飲み場攻撃のしくみ

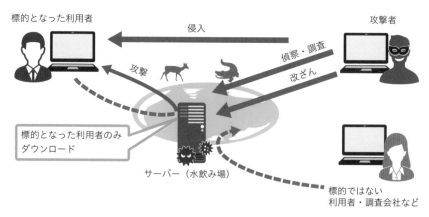

ポータルサイトや大手SNSサイトではない中規模サイト、改ざんやセキュリティ対策が充分でないサイト、標的がよく利用するサイトなどを改ざんし、標的となる利用者のみに攻撃が成立するよう細工される特徴を持つため、発覚までに時間がかかります。攻撃対象を絞って特定の人や組織をターゲットにし、

特定の条件でしか攻撃が発生しないことで、セキュリティ対策企業の調査や攻撃の発覚を遅らせる効果があります。攻撃には未知のマルウェアや発見されていない脆弱性を利用する場合もあります。

　水飲み場攻撃は主に3つの段階から構成され、サイバー・キルチェーンやマイター・アタックに当てはめてモデル化することが出来ます。

■ 水飲み場攻撃の3つの段階

段階	概要
偵察・調査	標的となる人や組織の取引先、情報収集のために訪問するサイトやSNSなどを調べ、脆弱性を調べて「水飲み場」となるサイトを絞り込む。標的の組織が利用するサーバー（資産管理サーバーやドキュメントサーバー）が直接狙われることもある
改ざん	脆弱性を利用して絞り込んだサイトを「水飲み場」へ変える。標的となる組織・人に対して直接マルウェアを送り込むリンクを書き込んだり、特定のIPアドレス範囲からのアクセスのみマルウェアをダウンロード可能にさせたりする
攻撃・侵入	改ざんした「水飲み場」サイトで標的となる利用者を待ち受け、マルウェアに感染させたり、Webブラウザへの攻撃で個人情報を抜き取り、遠隔操作やデータの盗聴などを行い、機密情報の摂取や諜報活動を行う

● 標的となった利用者向けの対策

　最低限の対策としては、OSやアプリケーションのセキュリティ・パッチ、アンチウイルスソフトの定義を常に最新に保つことが必要になります。加えて、侵入後の被害拡大を防ぐ取り組みも欠かせません。パソコンには機密情報を保管せずWebブラウザにもパスワードを保管しないなどの対策を行います。また、定期的にネットワーク機器のログからアクセス先の確認などを行い、業務で必要のないサイトや普段とは異なるURL、アクセス先IPアドレスなどを遮断するなどの対策も有効です。

●「水飲み場」サイトにならないための対策

　攻撃者は対策されていない脆弱性やセキュリティ・ホールを放置しているサイトやサーバーを探して攻撃を行います。そのため、対策としては最新のセキュリティパッチを適用するほか、不要なサービスの停止、管理者権限を利用した

サービスの見直しなど運用面での管理を徹底するなどがあります。

　また、サイトが改ざんされたことを早期発見する方法も有効です。Webサイトなどは一度リリースされると長期間放置されるケースもあるため、定期的にコンテンツのファイルサイズやチェックサムなどを確認して、改ざんされても早期発見し、攻撃者に加担しないための対策を徹底することが求められます。

● 標的型メール（なりすましメール）

　標的型メール（なりすましメール）は、特定の法人や組織を狙った巧妙な偽のメール（送信元や送信者、本文を偽装）を送り付け、不正プログラムを感染させたり、偽の入力フォームを用意したサイトへアクセスさせたりする手法です。そのメールは一読しても本物と見分けがつきにくく、ほとんど区別がつきません。どれほど巧妙に作られているのかは、IPA（独立行政法人情報処理推進機構）のサイトでその実例が公開されているので、確認しておくとよいでしょう（https://www.ipa.go.jp/security/announce/2020-bec.html）。

　高度な知識・スキルを有する攻撃者が目的を達成するまで何度も繰り返し行う標的型攻撃を**APT攻撃**（Advanced Persistent Threat）といいます。メールを利用した標的型攻撃（なりすましメール）は、APT攻撃の起点となることが多い手法です。セキュリティパッチの適用、ファイアウォール、IDS／IPS、WAFといった不正アクセスに関する防御や検知システム、アンチウイルスソフトといったセキュリティ対策製品に頼った対策では防ぎきれないのが現状です。APT攻撃は日々新たな手口・手法が観測され、日本の大手企業も標的にされつつあります。攻撃手法の詳細はマイター・アタック（P.039参照）などを参照することで知ることができ、各社セキュリティ企業も日々対策に追われています。

● フィッシング詐欺

　フィッシング詐欺は、本来の送信者・発信者を偽り、メール・SNS・電子掲示板といったコミュニケーションツールを利用して不正に個人情報を搾取する詐欺の総称です。近年のAPT攻撃・標的型攻撃（なりすましメール）は、組織・

法人を狙った巧妙かつ高度な手口を示すことが多いのに対し、フィッシング詐欺はより広範囲（個人を含むインターネット利用者）に、攻撃者が送信・発信元情報を偽って仕掛ける手法であることが多い攻撃です。フィッシング詐欺やなりすましメールは、パソコンやスマートフォンを利用する人すべてが知る必要がある、もっとも注意すべきセキュリティ上の脅威であるといえます。フィッシング詐欺もなりすましメールと同様に、機密情報や個人情報の不正取得を狙ったさまざまな攻撃の起点となります。

■ 2020年情報セキュリティ10大脅威

順位	2020年セキュリティ上の10大脅威	
	個人	法人・組織
1位	スマートフォン決済の不正利用	標的型攻撃による機密情報の搾取
2位	フィッシングによる個人情報の搾取	内部不正による情報漏洩
3位	クレジットカード情報の不正利用	ビジネスメール詐欺による金銭被害
4位	インターネットバンキングの不正利用	サプライチェーンの弱点を悪用した攻撃
5位	メールやSMSなどを使った脅迫・詐欺（金銭要求）	ランサムウェアによる被害
6位	不正アプリによるスマートフォン利用者への被害	予期せぬIT基盤の障害に伴う業務停止
7位	ネット上の誹謗・中傷・デマ	不注意による情報漏洩（規則は遵守）
8位	インターネット上のサービスへの不正ログイン	インターネットサービスからの個人情報の窃取
9位	偽警告によるインターネット詐欺	IoT機器の不正利用
10位	インターネットサービスからの個人情報の搾取	サービス妨害攻撃によるサービスの停止

赤太字…フィッシング詐欺・なりすましメールが利用された脅威

引用元IPA：https://www.ipa.go.jp/security/vuln/10threats2020.html

　フィッシング詐欺はしくみは単純ですが、従来のセキュリティ対策で十分であるということはありません。APT攻撃で利用された手法・手口が転用され、メールに限らずSMSや電子掲示板、オンラインゲームを利用した手口も存在

するなど、その手法は巧妙かつ多様化しています。

　メール以外の手法としては、SNSや電子掲示板などに書き込まれたURLをクリックさせマルウェアをダウンロードさせるものがあります。また、CSRFやクリック・ジャッキング攻撃などWebブラウザに対する攻撃を行い、個人情報を不正に搾取するものも存在します。さらには、利用者が使用するプロバイダーのIPアドレスをさも知っているかのように見せかけ、セキュリティ企業を装いシステムが汚染されている警告や脅迫を行い、対策として金銭を不正に取得するなど、その手口はまさに巧妙化・多様化し続けています。

● フィッシング詐欺、なりすましメールの対策

　標的型攻撃の対象となりやすい大企業や法人では、システム上の対策に加え、なりすましメールやフィッシング詐欺の訓練を行うなどして、ITリテラシーの低い人に対してルールを徹底させることが必要です。個人もセキュリティ対策を軽視せず、利用するサービス提供元からの情報や通知をチェックし、セキュリティに対する意識を持つことが必要となってきています。

◎ サービスおよびソフトウェアの機能の悪用

　近年の標的型攻撃は、正規ツールを悪用した**自給自足型／環境寄生型**（LOTL：Living Off The Land）と呼ばれる手口が使われるようになりました。Living Off The Landは「その土地のものを食べて暮らす」という意味で環境に溶け込み自給自足で活動することを意味します。

　環境寄生型のAPT攻撃（標的型攻撃）は、WordやExcelといったマイクロソフトのOffice製品や、パソコンを遠隔操作可能にするRAT（Remote Access Tool）など、不正プログラムではない正規のツールを利用して攻撃を行います。

　アップデート機能を持つユーティリティソフトを改変し、マルウェアをインストールする手口も存在します。このような正規ツールを悪用した攻撃は、アンチマルウェアソフトなどで検知できません。また、水飲み場攻撃の応用でユーティリティツールのアップデート機能を利用し、アップデートファイルを配信するサーバーを改ざんして特定組織のみにマルウェアをインストールさせるなど、非常に巧妙な手口も観測されています。

■ 標的型攻撃の一例

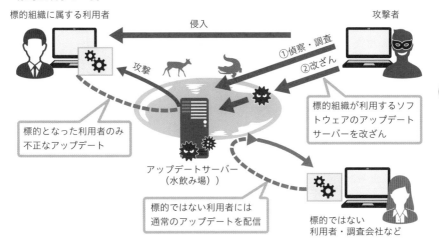

● DNSキャッシュポイズニング

DNSキャッシュポイズニングは、IPアドレスとドメイン名を紐づけるDNS
サーバーに対し情報を書き換えて攻撃者が用意するサイトへ誘導する攻撃で
す。この攻撃の根本的な対策は存在しません。この攻撃が成立しないよう回避
することで現在のインターネット環境は成り立っています。

DNS（Domain Name System）は、ドメイン名をIPアドレスへ変換し名前解
決を行います。

■ IPアドレスとドメイン名を紐づけるDNSサーバーのイメージ

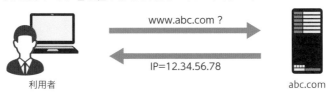

その原理は単純で、クライアントが知らないドメイン名はDNSサーバーへ
問い合わせて解決します。問い合わせ先のDNSサーバーが知らないドメイン
名はさらに上位のサーバー、もしくは上位サーバーが管理しているDNSサー
バーへ問い合わせます。一度問い合わせたドメイン名は、何度も問い合わせし

なくてもよいように、IPアドレスとドメイン名をキャッシュして管理します。

■ 名前解決は上位DNSと連携して行われる

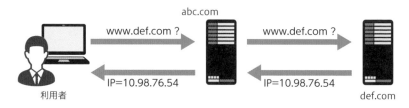

　たとえば、Webサイトを新規開設して、新しいサイトのドメイン名をDNSサーバーへ登録すると、およそ1日でほぼすべてのDNSサーバーから名前解決できるようになっているといわれています。

　DNSキャッシュポイズニングは、この「上位のDNSへ問い合わせ」した情報を「キャッシュ」する機能を悪用し、IPアドレスとドメイン名の紐づきを偽の情報へ書き換える攻撃です。攻撃のしくみも単純で、DNSが上位へ問い合わせした応答より先に、ドメイン名の情報をDNSサーバーへ送り付けて、偽の情報をキャッシュさせます（実際は連続で名前解決の応答メッセージを送り続ける）。利用者は正規のドメイン名で指定したURLへアクセスしたはずが、偽のIPアドレスで解決されてしまい、攻撃者が誘導したいサイトのIPアドレス（偽のサイト）へ誘導させられてしまいます。

■ DNSキャッシュポイズニングのしくみ

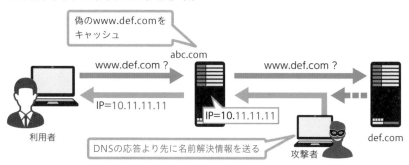

● DNSキャッシュポイズニングの対策

　DNSの名前解決メッセージは、少ない情報量かつUDPプロトコルを使用しており、システムに対する負荷があまりないため、DNSキャッシュポイズニング攻撃が観測される以前は、1分〜5分といった短い間隔で上位DNSサーバーに対して問い合わせを行っていました。

　DNSキャッシュポイズニング攻撃は、上位のDNSサーバーへの問い合わせが増えると攻撃が成立する機会が増します。現在ではそのドメイン名解決の更新間隔を長く設定し、不自然なデータ（名前解決の応答メッセージを多数受け取るなど）を不正と判断して検知することで対策します。また、名前解決の応答メッセージを受信する通信ポート番号を、ランダムに設定するなども有効な対策なので、併せて設定します。

まとめ

▶ 攻撃の中には標的以外は攻撃対象とせず、特定組織のみを攻撃の対象とする水飲み場攻撃がある

▶ メールを利用した攻撃は標的型攻撃のみならず、さまざまな攻撃の起点となるため、対策は必須である

▶ 不正プログラムを利用せず、正規にリリースされたサービス・ソフトウェアによる攻撃も存在するため、内部に潜入されたことを検知するのが難しい場合もある

▶ DNSキャッシュポイズニング攻撃は決め手となる対策がないため、なるべく攻撃を受けない設定や攻撃を検知しやすい設定を施す必要がある

15 Webブラウザを狙った攻撃

Webブラウザは、個人情報やパスワードなどが保管されるセキュリティ上注意が必要なアプリケーションです。Webサーバーに対する改ざんや、攻撃者が用意する罠サイトなどを通じて攻撃が実行されます。

● ドライブバイダウンロード

ドライブバイダウンロード（DBD：Drive-By Download）は、悪意のあるサイトや改ざんされたサイトにアクセスしただけで、知らないうちにマルウェアや不正プログラムをダウンロードさせて感染させる攻撃です。

プログラムをインストールする場合、利用者はなんらかの操作（ポップアップにYESで答えてしまうなど）を行ってしまいますが、ドライブバイダウンロードは正規のプログラムやOSの脆弱性を利用し、インストールを行う操作を伴わない点が脅威です。利用者はWebサイトへアクセスしたこと以外は不正プログラムのダウンロード、マルウェアのインストール、機密情報などが漏洩したことに気付けません。

■ ドライブバイダウンロードのしくみ

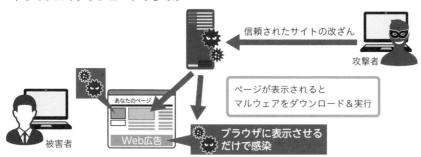

信頼されたサイトの改ざん

攻撃者

ページが表示されるとマルウェアをダウンロード＆実行

あなたのページ

Web広告

ブラウザに表示させるだけで感染

被害者

代表的なドライブバイダウンロード攻撃に**ガンブラー攻撃**があり、2009年頃から被害が広まりだしました。ガンブラー攻撃は、Webサイトを改ざんし、マルウェアをダウンロードするJavaScriptなどのコードを実行させ、Adobeの

Flash Player（Webブラウザのプラグイン）の脆弱性を突いた不正プログラムやマイクロソフトのWindows、Officeの脆弱性を利用してマルウェアをインストールさせます。

　対策としてアンチウイルスソフトやソフトウェアのセキュリティアップデート（とくにAdobeやマイクロソフトの製品）を最新に保つことです。そして、水飲み場攻撃と同様に不正アクセスを予防する対策や、サイトが改ざんされたことを早期発見する対策を行う必要があります。しかし、それは必要最低限の対策でしかありません。セキュリティ侵害を受けたあとの被害を拡大させないため、ローカルディスクに機密情報を保管しない、パスワードをブラウザにキャッシュさせないなどの対策を行います。

● クリックジャッキング

　クリックジャッキングは、Webページ上に透明なボタンやURLリンクを配置させ、対象者にクリックさせる攻撃です。罠サイトのクリックジャッキングに気付かないままボタンやURLをクリックすると、攻撃者が用意した操作を利用者がさせられたり、マルウェアがダウンロードされてしまうサイトへ誘導されてしまいます。クリックジャッキング攻撃は、CSSという技術を使って実現しています。

■ クリックジャッキングのしくみ

　クリックジャッキング攻撃は、まず元となるページを攻撃者が用意し、クリックさせたい攻撃用ページをiframeタグなどで罠ページの一番上に表示させます。iframeタグはほかのページを埋め込んで表示させることができるタグです。

攻撃対象ページが手前に表示されるようにCSSのz-index属性で本来のページより上にiframeタグで取り込んだ攻撃用ページを最上位に表示されるように設定し、CSSのposition属性で操作させたいURLやボタンと重なるように配置します。

罠ページの上に攻撃対象ページを配置したら、透明にして表示させます。CSSのopacity属性を利用して透明度を変更することで攻撃用ページを透明にします。

クリックジャッキング攻撃の対策は、webアプリケーション（サーバー側）の対策では困難なため、ブラウザへ表示させる際に制限値を設け対策します。具体的にはiframeタグの利用を制限する「X-Frame-Option」の制限値を設け、iframeが適用可能なWebページの制限をブラウザが表示された際に適用します。

■ クリックジャッキング攻撃対策

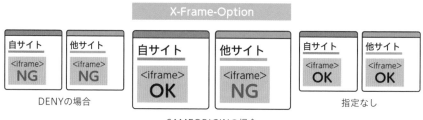

XSS（クロスサイト・サイト・スクリプティング）

XSS（クロス・サイト・スクリプティング：Cross-Site Scripting）は、動的Webページで利用者が送信した文字列（スクリプト言語を含む）をWebサーバーがそのまま出力し、受信したブラウザが処理してしまう脆弱性を利用して攻撃を行います。XSSの「X」はCrossを略して表現されたものです。

動的Webページとはユーザーが行う操作を動的に出力する（入力値で表示が変わる）Webページのことです。Webアプリケーション（PHPやPerlなど）を利用して、Webブラウザへ表示させるデータを生成し、サーバーがHTTPレス

ポンス出力してブラウザへ表示させます。利用者の見えないところでWebブラウザが行うデータ送信を「HTTPリクエスト」、Webサーバーで生成されてブラウザにて受信されるデータが「HTTPレスポンス」です。

■ 動的Webページのしくみ

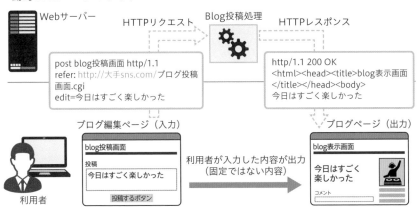

　XSS攻撃はJavaScriptなどスクリプトの制御タグや関数をブラウザへそのまま出力する脆弱性が存在する場合に成立し、利用者やWebページの開発者が意図しない動作をWebブラウザ上で実行させます。

■ XSS（クロスサイト・サイト・スクリプティング）のしくみ

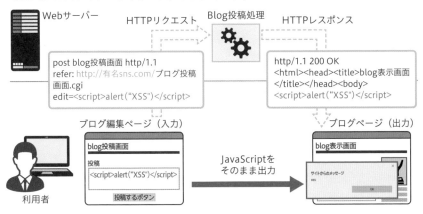

XSSの原因となる文字列の例としてJavaScriptを動作させる<script></script>タグがあります。タグ内にJavaScriptのalert関数を書き込み、送信すると、そのまま（タグの意味を持ったまま）ブラウザへ出力してポップアップでアラートが表示されます。XSSはこのような動作を悪用して攻撃を仕掛けます。

実際の攻撃は相手に気付かれないように、iframeタグなどを利用します。iframeタグを使うと、攻撃者が用意した罠ページに脆弱性のあるサイトを表示できるため、XSSを仕掛けることができます。実際に表示された罠サイトではない別サイト（脆弱性のあるサイト）に対して、XSS攻撃する方法を**反射型XSS**といいます。

■ 反射型XSSのしくみ

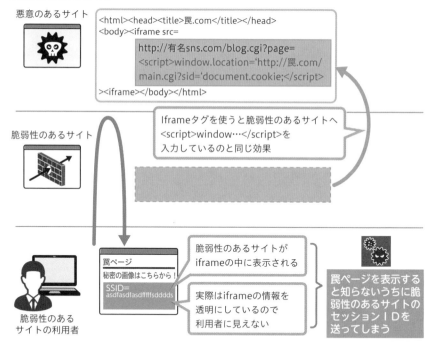

反射型XSSの対策は、<script></script>で囲んだ制御文が成立しないよう、特定の文字列をそのまま出力せずにエスケープ処理することで対策できます。
具体的には「<」や「&」といった文字を代替文字列（エスケープ文字）でブラウザへ出力することで、ブラウザにてスクリプトの文字として認識させずに、

同じ意味の記号として表示させる対策を行います。

● HTTPヘッダインジェクション

HTTPヘッダインジェクションは、XSSと同様にWebサイトで出力される
HTTPレスポンスをブラウザがそのまま出力する場合に発生します。XSSと同
じしくみですが、脆弱性となる文字列と適用される場所が違います。

HTTP通信は「ステータスライン」「ヘッダ」「ボディ」で構成されます。HTTP
リクエストヘッダ情報は使用しているブラウザが送信する情報であり、HTTP
レスポンスヘッダはWebサーバーが出力する情報です。

■HTTPヘッダインジェクションのしくみ

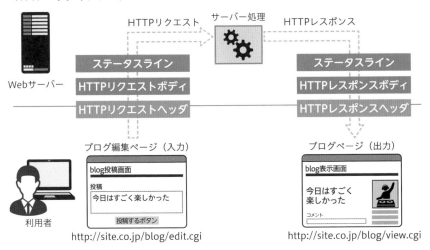

HTTP通信で利用される主なHTTPヘッダフィールドには、以下があります。

■HTTPリクエストヘッダ

ヘッダフィールド	内容
Referer	直前にリンクされていたURL
Cookie	ブラウザから送付されるクッキー
User-Agent	Webブラウザの情報

ヘッダフィールド	内容
Location	リダイレクト先URL
Server	HTTPアプリケーションの種類
Set-cookie	サーバーから送付されるクッキー

■ 共通のヘッダ

ヘッダフィールド	内容
Connection	接続の永続性情報
Date	日付情報

　HTTPヘッダインジェクションは、改行文字「%0D%0A」「%0D」を外部（URL
パラメータなど）から指定し、サーバーがHTTPヘッダをそのまま設定して
Webブラウザ（HTTPレスポンス）へ出力される場合に攻撃が成立します。

　以下の図は、HTTPヘッダインジェクションの脆弱性を利用してURLのjump
パラメータに指定されたURLをHTTPヘッダ（Location）へ設定する詳細です。

■ jumpパラメータのURLをHTTPヘッダへ設定する流れ

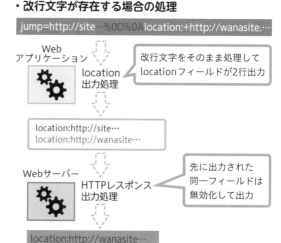

・**通常の処理**

jump=http://site…

Web
アプリケーション
location
出力処理

location:http://site…

Webサーバー
HTTPレスポンス
出力処理

location:http://site…

・**改行文字が存在する場合の処理**

jump=http://site…%0D%0Alocation:+http://wanasite…

Web
アプリケーション
location
出力処理

改行文字をそのまま処理して
locationフィールドが2行出力

location:http://site…
location:http://wanasite…

Webサーバー
HTTPレスポンス
出力処理

先に出力された
同一フィールドは
無効化して出力

location:http://wanasite…

通常の処理（左側）は、jumpパラメータのURLをLocationフィールドとして出力する処理を行います（WebブラウザはLocationフィールドにURLが設定されていると、Webブラウザの機能でリダイレクト処理を行います）。Webサーバーはを URLをLocationフィールドへ設定したあと、設定されたLocationフィールドをHTTPレスポンスヘッダとして出力します。

　jumpパラメータに改行文字「%0D%0A」「%0D」を指定した攻撃を行うと、jumpパラメータに存在する改行文字をそのままWebサーバーで処理するため、Locaionフィールドが2行生成されます（jumpパラメータで指定するLocationフィールドと、HTTPヘッダインジェクション攻撃で指定したLocationフィールド）。

　Webサーバーの仕様上、複数存在するフィールドは最後のフィールドのみレスポンスとして出力するために、HTTPヘッダインジェクション攻撃が成立してしまいます。XSSと比較すると、「<」や「&」といった文字列はXSSの原因であり、改行文字「%0D%0A」「%0D」はHTTPヘッダインジェクション攻撃の原因となる文字列です。

　HTTPヘッダインジェクション攻撃の対策は、Locationフィールドなどのの HTTPヘッダの値を外部から指定（URLパラメータなどを使う）する場合に、HTTPレスポンスヘッダへ文字列を直接出力しない設定を行います。また、XSS同様に改行文字「%0D%0A」「%0D」をチェックして出力させないことで対策を行います。現在はWebアプリケーションにて専用の関数が用意されていることがほとんどのため、ヘッダ出力処理を専用のライブラリ関数で行い対策します。

✏ まとめ

▶ **ブラウザのプラグインなどを悪用した攻撃には、ドライブバイダウンロードがあり、利用者はほとんど気付けない**

▶ **クリックジャッキング、XSS、HTTPインジェクション攻撃はブラウザの機能を悪用した攻撃であり、Webサイト側で行う対策が必要になる**

16 サーバーを狙った攻撃①

サーバー攻撃の多くは、サーバーの脆弱性やセキュリティ対策を怠ったサーバーなどを狙って攻撃を仕掛けてきます。この種の攻撃はさまざまな種類があるため、2つの節に分けて解説します。

● ディレクトリ・トラバーサル

Webページは、Webサーバー上にあるWebアプリケーションがHTML文を出力することでWebブラウザに表示されますが、サーバー上に保管されたファイルを表示する機能を無効にせず、ディレクトリ構造とファイルをそのまま表示してしまう場合があります。

■ Webページのサーバー上の配置

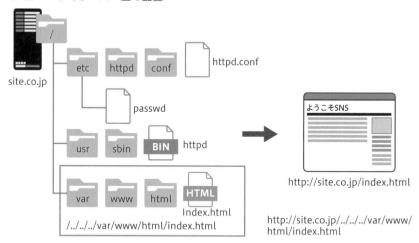

インターネットへ公開し閲覧されるファイルは、webサーバーの設定ファイル（httpd.confなど）で指定しますが、Webサーバーの実装方法や設定に誤りがあると、サーバー上に配置されたほかのファイルが参照できる脆弱性となってしまいます。この脆弱性を突いた攻撃を**ディレクトリ・トラバーサル**といい

ます。

■ ディレトリ・トラバーサル攻撃のしくみ

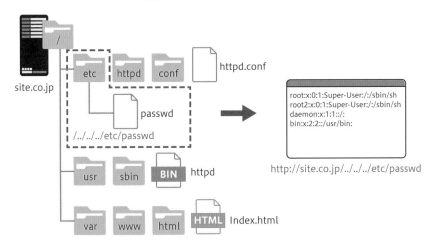

　LinuxOS における「../」は上位のディレクトリの指定方法です。たとえば「index.html」が「/var/www/html」ディレクトリに存在した場合、「../../../var/www/html/index.html」は最上位のルートディレクトリから「index.html」の位置を指定したことになります。

　この方法を悪用して、ファイルパスを指定すれば公開するつもりのないファイルを閲覧することができてしまい、ディレクトリ・トラバーサル攻撃が成立することとなります。

　LinuxOS の設定ファイルは「/etc」ディレクトリ下に保管され、OS ユーザー名などが設定されたファイルのパスは「/etc/passwd」にあり、index.html が存在するディレクトリから「/etc/passwd」の相対的な位置は「../../../etc/passwd」となります。このファイルに対するアクセス権の制限や、httpd.conf によるアクセス制限などが適切ではない場合、外部から Web サービスを通じてファイルが閲覧可能となり、ディレクトリ・トラバーサル攻撃が成立します。

● ディレクトリ・リスティング

インターネットを利用していると、下図のようなWebページを目にすることがあります。これが、ディレクトリ・リスティングです。

■ サーバー内部のファイル情報が公開されているサイト

ディレクトリ・リスティングは脆弱性となる危険性が高い機能ですが、ほとんどのWebサーバーで使用できる機能であり、一部のWebサーバーではインストール直後の状態で有効となっているため注意が必要です。

意図せず公開されてしまうディレクトリに機密性の高いファイルを保管してしまうと、ディレクトリ・リスティングにより外部から参照できてしまい、googleやyahooといった検索サイトの情報収集機能（クローラー）が収集して公開されてしまう危険性もあります。クローラーはrobot.txtというファイルを編集すれば対象外にできますが、robot.txtの設定を無視した情報の自動収集を行う悪質なbotもあるため、公開されるディレクトリや情報は明確にする必要があります。

ディレクトリ・リスティングやディレクトリ・トラバーサル攻撃の対策は、httpd.confの設定を外部からアクセスできないよう設定することや、サーバーのファイルアクセス権に制限を設けるなどの対策が有効となります。具体的に

はWebサービスのプロセスを実行しているユーザーのアクセス権を制限し、OS設定ファイルや秘密情報ファイルに対するアクセスを閲覧不可にして対策します。

そのほかに「/」や「../」などの文字列（エンコードされた文字列の場合は「%2F」「..%2F」）に対するチェックを行い、「/」を含むURLパラメータやOS上のパス名を指定したアクセスを制限して対策します。

● SQLインジェクション

Webサーバーがコンテンツとして外部に公開する情報はファイル情報だけでなく、データベース内に保存された情報も対象です。

SQL（Structured Query Language）はデータベース専用のプログラム言語で、データベース上の情報を参照・書き込み・削除するために使用します。PHPやPerlといったWebアプリケーションを利用してSQLを記述し、外部からの入力により動的に変化する機能に脆弱性があると攻撃が成立します。**SQLインジェクション攻撃**はXSS攻撃やHTTPヘッダ・インジェクション攻撃と同様に、WebページのテキストボックスやURLに対してSQL文が成立するように入力することで行います。

SQLインジェクション攻撃が成功すると、データベース内部に保管される機密性の非常に高い情報（ECサイトにおける顧客情報や法人における社員情報など）へ不正にアクセスできるため、絶対に脆弱性を生じないプログラミングや対策が求められます。

次ページの図は、典型的なログインを必要とするWebアプリケーション（PerlやPHP）処理の概要です。利用者はログイン画面のテキストボックスにユーザーIDとパスワードを入力して、ログインボタンをクリックします。この操作によってWebサーバー上ではWebアプリケーションでSQL文を作成し、データベースへ照会します。IDとパスワードが一致した場合、ログインに成功します。

■ PHPスクリプトによってログイン処理が行われる一例

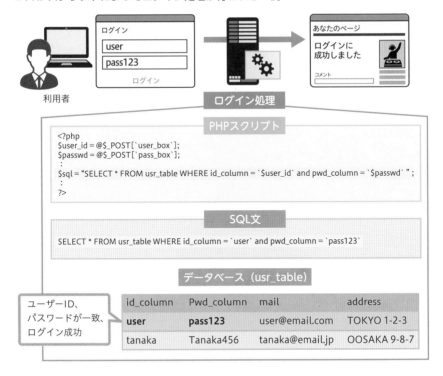

SQLインジェクション攻撃は、テキストボックスにSQL文が成立する文字列を指定し、本来の意図とは異なったデータベースアクセスを行うことで成立します。右ページの図ではテキストボックスに「`or `a`=`a」を指定することで、認証を回避するSQLインジェクション攻撃を行っています。

■ SQLインジェクション攻撃のしくみ

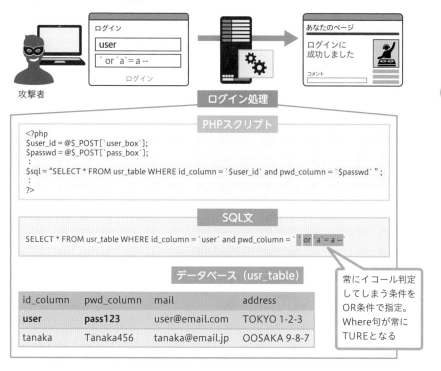

■ 認証回避の文字列

●リテラル値挿入前

… _column = ` `

●リテラル値挿入後（通常）

… _column = `pass123`

●リテラル値挿入後（SQLインジェクション）

リテラル値の終了を意味
するシングルクォート

where句条件に関係なく
常にTRUEとなる条件文

以降の条件文を無効にする
コメント記号

SQLは検索に利用する値「pass123」「a」「1」などのリテラル値（固定値）を
シングルクォート「'」を使って指定します。SQLの構文として意味を持つシン
グルクォートが外部から指定（入力フォームやURLのパラメータなど）される
と、Webアプリケーションがリテラル値をエスケープ処理せず、そのまま
SQL文を組み立てます。これをデータベースで処理すると、SQLインジェクショ
ン攻撃の原因となります。

　SQLインジェクションの対策は、外部から指定される値（SQL文に指定する
リテラル値）のエスケープ処理が根本的な対策の1つですが、エスケープの対
象とする文字は、データベース製品それぞれに異なっており、利用するデータ
ベース製品別に対策が必要になります。

● OSコマンド・インジェクション

　メール送信フォームを使った問い合わせ機能を、OS上で実行できるmailコ
マンドを使って実装すると、**OSコマンド・インジェクション攻撃**が成立する
場合があります。OSコマンド・インジェクション攻撃を放置すると、情報漏
洩だけでなく、踏み台サーバーとしてほかのサーバーを攻撃する可能性がある
ため注意が必要です。

■ OSコマンド・インジェクションのしくみ

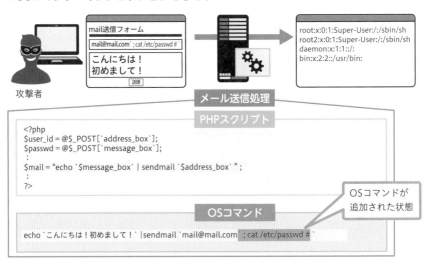

■ OSコマンド・インジェクションの原因となる文字列の実行例

OSコマンド・インジェクションの原因となるコマンド連結をLinuxOSで実行した例

コマンドとコマンドの間に「&&」を指定すると2つのコマンドを同時に実行可能

OSコマンド・インジェクション攻撃はほかのインジェクション攻撃と同様に、WebページのフォームやURLへOSコマンドを実行させる特定の文字列を入力することで攻撃を行います。文字列はサーバーOSに依存し、複数のコマンドを実行可能にする文字列が脆弱性の原因となります。サーバーがLinuxの場合、「;」「&」「&&」「||」「|」、サーバーがWindowsの場合、「&」「||」「&&」などがその文字列に該当します。

OSコマンド・インジェクションはSQLインジェクションと同様、攻撃の原因となる文字列をエスケープ処理して対策します。しかしながらOSコマンド・インジェクションはシェルやOSコマンドを利用する関数（PHPでのsystemやexec関数）を使わずに実装可能なことが多く、メール送信処理ならば、Webアプリケーションから利用できるメール送信専用の関数を利用するなどして対策します。OSコマンド・インジェクションに限らず脆弱性を作りこまない（そもそも脆弱性が発生しない構造にする）対策が重要です。

● メールヘッダ・インジェクション

OSコマンド・インジェクション攻撃ではメール送信フォームを例に挙げましたが、メールそのもの（SMTPプロトコル）にも脆弱性が潜んでいる場合があります。

メールヘッダ・インジェクションは、URLパラメータや入力フォームなどを通じて外部からメールヘッダ部分の情報を改変可能な場合に起こります。脆弱

性の原因は、HTTPヘッダインジェクションとほぼ同じです。改行文字を挿入し、新たなヘッダ情報を追加することでメールヘッダ・インジェクション攻撃が成立します。

　メールはWebブラウザやメールソフトから参照すると、件名、送信元、送信先やCC、BCCなどさまざまな情報が表示されます。元となるデータは「＜項目＞：＜値＞」の形式で1行に1つの項目をテキスト形式で記述され、改行して次のメールヘッダ項目が記述されます。メールヘッダは改行後に空白行を指定することで最終行となり、メールヘッダ最終行の次の行からメール本文が記載されます。メールヘッダ情報は通常メールサーバーにおいて記述され、中継サーバーや送信先メールサーバーで受信すると追記されていきます。

■ 一般的なメールの構成

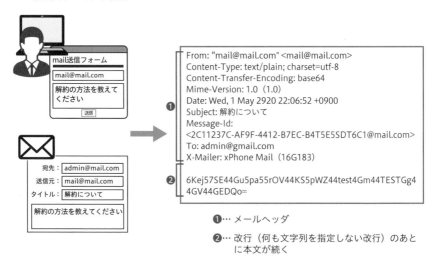

From: "mail@mail.com" <mail@mail.com>
Content-Type: text/plain; charset=utf-8
Content-Transfer-Encoding: base64
Mime-Version: 1.0（1.0）
Date: Wed, 1 May 2920 22:06:52 +0900
Subject: 解約について
Message-Id:
<2C11237C-AF9F-4412-B7EC-B4T5E5SDT6C1@mail.com>
To: admin@gmail.com
X-Mailer: xPhone Mail（16G183）

6Kej57SE44Gu5pa55rOV44KS5pWZ44test4Gm44TESTGg44GV44GEDQo=

❶… メールヘッダ

❷… 改行（何も文字列を指定しない改行）のあとに本文が続く

　メールヘッダ・インジェクション攻撃の脆弱性が存在すると、送信メールの送信先や本文を改変してメールを送付することが可能になります。次ページの図の例では、入力フォームのタイトルに改行文字「%0d%0a」とBCCを追記して送信ボタンをクリックすることで攻撃が成立します。

上図の例では利用者のメールアドレスなどの個人情報が攻撃者へ漏洩しますが、本文を偽装しフィッシングサイトのURLを追加した場合、直接メールを送る場合に比べ攻撃者としてはメールヘッダ情報から自分の身元が判明するリスクを軽減できるメリットがあります。サーバーの管理者はメールヘッダ・インジェクション攻撃の被害者になると同時に、攻撃者に加担してしまうことになります。

メールヘッダ・インジェクション攻撃の対策はHTTPヘッダ・インジェクション攻撃で対策する文字列と同じです。対策としては、メールヘッダの値を外部から指定（URLパラメータなどを使う）する場合に、メールヘッダへ文字列を直接出力させない、つまり改行文字「%0d%0a」「%0d」を削除する処理を行います。現在はWebアプリケーションにおいて専用の関数が用意されていることがほとんどのため、メールヘッダ出力処理を専用のライブラリ関数で行うことで対策します。

● 第三者中継（メール）

メールサーバーアプリケーションにはメール転送機能があります。メールサーバーがメールを受信したとき、自ドメイン宛てのメールでなければ、別のメールサーバーに転送するという機能です。この機能はインターネットの創成

期、契約したISP接続業者内（自ドメイン）宛てのメール送信や、回線を相互で接続しているISP接続業者同士でのメールのやり取りに利用されていました。海外へメールを送信する際などは、直接通信できない業者宛てのメールはリレー式にメールを中継して送信先メールサーバーへ送る必要がありました。

■ メール転送のしくみ

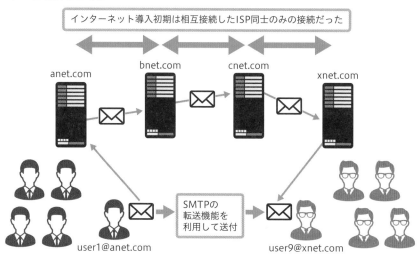

また、インターネット創成期はメールサーバー自体が不安定なこともあり、メールサーバーが送信受付不可能な場合に送信可能なほかのメールサーバーにメール送信を代行させるなどの目的で利用されたりもしました。

そのため、古くから導入されているsendmailなどのメールサーバーアプリケーションは、デフォルトで転送機能が有効（現在はデフォルトで無効）となっています。攻撃者はこうした転送機能が有効なままのメールサーバーや、意図的に転送機能を有効にしているメールサーバーを狙うことで、メールの**第三者中継**を成立させます。攻撃者は不正中継が可能なメールサーバーを探し、迷惑メール、危険なウイルスやマルウェアを含むメールを偽装して送信します。

■ メール転送機能を利用した攻撃のしくみ

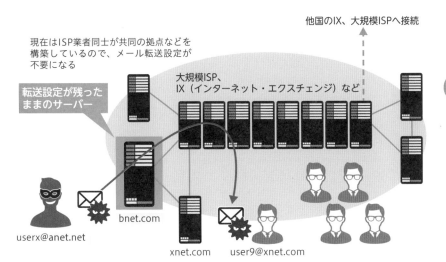

現在はISP業者同士が共同の拠点などを
構築しているので、メール転送設定が
不要になる

他国のIX、大規模ISPへ接続

転送設定が残った
ままのサーバー

大規模ISP、
IX（インターネット・エクスチェンジ）など

bnet.com

userx@anet.net

xnet.com   user9@xnet.com

　近年ではISP接続業者が共同でIX（インターネット・エクスチェンジ）と呼
ばれる相互接続ポイントなどを運用し、大規模ISP接続サービスに参加してい
ます。そのためほとんどのメールサーバーアプリケーションは転送機能を利用
せずに、直接送信先メールサーバーへ送付することが可能です。送信元が偽装
されたメールや、スパムメールの原因となる転送機能を有効にすることは、危
険な脆弱性を放置した加害行為との認識になりつつあります。

　メールの第三者中継対策はメールサーバーの転送機能を無効にする、もしく
はメール転送を利用可能な送信元IPを登録して、接続が許可されたドメイン
からのメールのみを転送する設定にするなどの方法があります。

まとめ

▶ **サーバーを狙った攻撃は、URL パラメータ、入力フォームなど
のインターフェースを通じて行われる**

▶ **各種サーバーアプリケーションの実装方法やセキュリティ設定
の漏れ・誤りが、サーバーの脆弱性となり攻撃の対象となる**

17 サーバーを狙った攻撃②

ここでは引き続き、サーバー攻撃について解説します。罠ページを作成するものや、正規のツールを悪用して攻撃を行うものなど、さまざまな手法と技術が攻撃に利用されています。

● CSRF（クロスサイト・リクエスト・フォージェリ）

クロスサイト・リクエスト・フォージェリ（CSRF：Cross-Site Request Forgeries）は、脆弱性のある会員制サイトなどを狙った攻撃です。会員制サイトは**セッション管理**という技術を使い、サービスに登録した利用者がログイン後もユーザーごとの処理を継続可能にします。

このセッション管理は、状態を維持しないステートレスなHTTP通信において状態を維持するステートフルな状態を実現するために利用する技術です。

会員制サイトでセッション管理を適切に処理していないと、攻撃者は利用者のログインした状態を利用して不正操作を行います。CSRF攻撃を受けた会員制サイトの利用者は、サイトのログイン後に攻撃者によって情報を盗み取られてしまいます。

■ セッション管理のしくみ（ステートレスな場合）

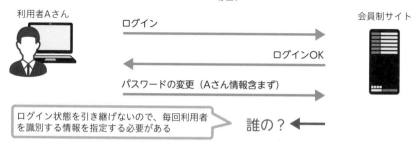

利用者Aさん

ログイン

ログインOK

パスワードの変更（Aさん情報含まず）

ログイン状態を引き継げないので、毎回利用者を識別する情報を指定する必要がある

誰の？

会員制サイト

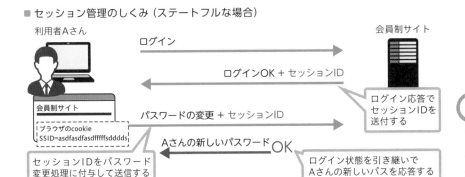

ステートレスなHTTP通信では、実行したHTTPリクエスト＆レスポンスの状態を引き継ぐことができないため、ページが変わるたびにユーザーIDとパスワードの入力が必要になってしまいます。

一方ステートフルなHTTP通信ではログイン後にセッションIDを利用者の見えないところで発行して送付し、ブラウザのcookieへ保存します。利用者がサイト内のページ移動をする場合、ブラウザのcookieに保存されたセッションIDをサーバーへ送付しログイン認証済みかどうかチェックを行います。

また、一度本人確認をすれば（セッションIDを発行していれば）、別サイトへ移動した後に会員制サイトへ戻ってきても、ログイン状態を維持でき、毎回IDやパスワードを送付しなくても通販サイトのカート機能や注文履歴といった機能が実現できます。

CSRF攻撃はセッションIDを利用した攻撃であるため、セッションIDさえ正しければ利用者Aさんのなりすましが可能になるということを意味します。会員制サイトがHTTPリクエストのセッションIDのみチェックしている状態の場合、ほかのサイトから送付した会員制サイトへの投稿であってもセッションIDが会員制サイトで発行されたものでありさえすれば処理されてしまいます。この脆弱性を利用した攻撃がCSRF攻撃です。

実際のCSRF攻撃は罠ページ（悪意のあるサイト）へのリンクを、脆弱性のある会員制サイトへ貼り付けて罠ページに誘導して行います。

■ CSRF攻撃のしくみ

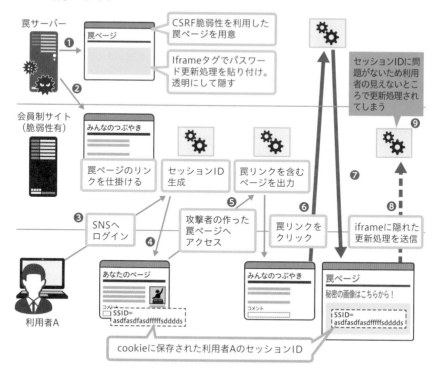

　攻撃者はCSRFの脆弱性を突いたページをあらかじめ作成しておきます（❶）。続いて攻撃者は、脆弱性のあるサイトに罠ページへアクセスするリンクを投稿します（❷）。利用者Aはこのサイトへログインします（❸）。このとき脆弱性のあるサイトは、セッションIDを利用者のブラウザ（cookie）へ送信します（❹）。利用者Aのブラウザには攻撃者が用意した罠ページへのリンクが表示され（❺）、利用者Aはリンクをクリックし悪意のあるサイトへアクセスします（❻）。

　罠ページが表示されると同時に（❼）、利用者Aの見えないところでiframeで埋め込まれた脆弱性のあるサイトへの更新処理とセッションIDを送付します（❽）。更新処理を受けた脆弱性のあるサイトはセッションIDに問題がないため、更新処理を行います（❾）。

　CSRF攻撃は、脆弱性のある会員制サイト（攻撃者が攻撃の対象にしているサイト）へ利用者がログイン済みの状態で成立します。

CSRF攻撃の対策は、パスワードの再入力や送信元ページのチェック機能を実装して行います。対策することで更新処理が利用者によるものであることを確認できます。また、ページの更新処理前に「トークン」と呼ばれる秘密情報を生成し、更新処理時にセッションIDとトークンをチェックしてCSRF攻撃を防ぐ対策もあります。

トークン（token）はセッションIDに似ていますが、更新処理前に発行され、更新処理時にセッションIDと共にチェックすることでCSEF攻撃を防止します。CSRF攻撃の対象ページがトークンにより対策されていた場合、別ページ（罠ページ）から送信された更新リクエストはトークンが含まれないため、不正な更新処理と判断されCSRF攻撃は失敗します。

● ポートスキャン

攻撃の予兆（準備）として、攻撃者はサーバーが受信可能な通信ポートを調査します。ネットワーク上に存在するサーバーを知り、アクセス可能であることが攻撃者にとって攻撃の第一歩になります。

■ 攻撃者は利用可能なポートを探す

アクセス可能なIPアドレスを知るためネットワークに対しスキャンを行い、通信可能なサーバーを発見すると攻撃者はそのサーバーが受信可能な通信ポートをツールを利用して探り、どんなサービスが動作しているかを調査し、攻撃の準備を整えます。

Webサーバーが受信可能な通信ポートは80番（HTTPプロトコル）と443番（HTTPSプロトコル）ポートです。メールは25番（SMTPプロトコル）を利用した通信を行い、それぞれ通信に関する約束ごと（通信規約）に沿った通信を行います。

■ 主な通信ポートと対応プロトコル

通信ポート	通信プロトコル
20, 21	FTP (File Transfer Protocol)
22	SSH (secure shell)
23	telnet
25	SMTP (Simple Mail Transfer Protocol)
53	DNS (Domain Name System)
80	HTTP (Hypertext Transfer Protocol)
123	NTP (Network Time Protocol)
443	HTTPS (HTTP over SSL/TLS)

　サーバーが通信に使うポートは65535番までであり、1024番まではウェルノウン・ポートとして利用する通信が決められていますが、あらかじめ決められたポート以外を使って通信することも可能です。

　ポートスキャンは、サーバーが通信するために開いているポートが何番ポートかを調査するために行います。代表的なポートスキャンツールにはNmapやNetcatがあり、非常に高機能です。攻撃者が利用する反面、防御する側のサーバー管理者やホワイト・ハッカーにとっても脆弱性をチェックするツールとして有用で、攻撃者の視点でサーバーの状態を確認し、セキュリティホールを知る手段として使われています。NmapやNetcatを使ったスキャンを行い、ファイアウォールやネットワーク機器のログの痕跡をチェックすることで、攻撃の予兆を知ることにも役立ちます。

　ポートスキャンによるチェックを行い、サーバーに出力されるログをチェックすることは、攻撃を検知し対策する上で非常に重要なプロセスであるため、近年巧妙化するハッキングやクラッキングの手口に対抗すべく、サーバーの運用・管理において積極的な利用が必要です。

■ ポートスキャンツール「Nmap」を利用した例

```
192.168.1.4 - root@kali: ~ VT                                    —    □    ×
ファイル(F)  編集(E)  設定(S)  コントロール(O)  ウィンドウ(W)  ヘルプ(H)
root@kali:~#
root@kali:~# nmap 192.168.1.5
Starting Nmap 7.80 (               ) at 2020-05-18 14:24 UTC
Nmap scan report for 192.168.1.5
Host is up (0.00039s latency).
Not shown: 999 filtered ports
PORT      STATE SERVICE
3389/tcp open  ms-wbt-server
MAC Address: E8:9D:87:4D:F9:25 (Toshiba)

Nmap done: 1 IP address (1 host up) scanned in 5.01 seconds
root@kali:~#
root@kali:~#
root@kali:~#
root@kali:~# nmap -sV -p 3389 192.168.1.5
Starting Nmap 7.80 (               ) at 2020-05-18 14:24 UTC
Nmap scan report for 192.168.1.5
Host is up (0.00036s latency).

PORT      STATE SERVICE         VERSION
3389/tcp open  ms-wbt-server Microsoft Terminal Services
MAC Address: E8:9D:87:4D:F9:25 (Toshiba)
Service Info: OS: Windows; CPE: cpe:/o:microsoft:windows

Service detection performed. Please report any incorrect results at          .
Nmap done: 1 IP address (1 host up) scanned in 7.26 seconds
root@kali:~#
```

● IPスプーフィング

攻撃者はインターネット上から攻撃を行う際は自分の身元を秘匿します。攻撃対象のサーバー、ネットワーク機器やパソコンはログなどの痕跡を残すことがほとんどだからです。サーバーやパソコンに残るログは完全ではありませんが、IPアドレスが判明すると接続している地域と利用しているプロバイダーが特定でき、情報開示請求を行うことで身元の特定も可能です。

IPスプーフィングは、IPアドレスをspoof（だます）技術です。**ARPスプーフィング**は、ARPプロトコルを利用してMACアドレスを偽装する技術で、どちらもネットワーク上のアクセス元アドレスを偽装する技術です。

身元の秘匿はさまざまな方法が存在します。ポートスキャンで取り上げたNmapを使えば、コマンドオプションで送信元アドレスを変更できます。また、プロキシサービスやVPNサービスを利用した場合も、本来の発信元IPアドレスではなく、プロキシサーバー、VPNサーバーのIPアドレスで通信を行うため、身元や物理的なアクセス元の場所が容易に特定できなくなります。

■ IP スプーリングのしくみ

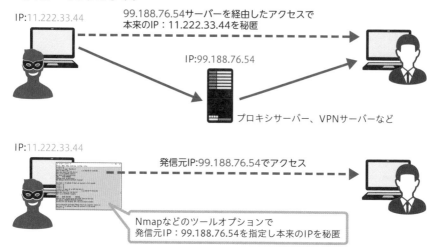

IP:11.222.33.44

99.188.76.54サーバーを経由したアクセスで
本来のIP：11.222.33.44を秘匿

IP:99.188.76.54

プロキシサーバー、VPNサーバーなど

IP:11.222.33.44

発信元IP:99.188.76.54でアクセス

Nmapなどのツールオプションで
発信元IP：99.188.76.54を指定し本来のIPを秘匿

　IPスプーフィングは攻撃というより、プロキシ、VPNといったサービスやNmapなどのツールを利用した偽装機能を利用するため、攻撃者の身元特定を困難にするテクニックです。WebプロキシサービスやVPNサービスの中には、プライバシー保護の目的でログの公開を行っていないサービスもあり、攻撃者の特定や過去に受けた攻撃元IPによる通信遮断・フィルタリングが難しくなります。

　サーバー管理者はふるまい検知可能なファイアウォール導入など、送信元IPが変わっても記録されたログや動作パターンから攻撃を検知するなど、こまめにサーバーをチェックして攻撃者から守る必要があります。

　まとめ

- ▶ 攻撃者は事前に通信ポートをチェックするため、サーバーのログはこまめにチェックすることが必要

- ▶ 従来のIP・ポートフィルタリング機能によるセキュリティ対策だけでは不十分であり、定期的なログ確認やふるまい・異常動作の検知などの対策を行う必要がある

18 乗っ取り／不正アクセス／なりすまし

ここでは乗っ取り／不正アクセス／なりすましといわれる攻撃について解説します。乗っ取りや不正アクセスは対象機器により異なり、多くはほかの攻撃との組み合わせて行われます。

● セッション・ハイジャック

　HTTP通信においてセッションは重要な機能です。セッション機能はステートレスなHTTP通信において、会員制サイトなど、異なるページ間で利用者本人である状態を維持しています。CRSFは、会員制サイトへログインした状態を悪用した攻撃であることを解説しました（P.090参照）。

　一方、**セッション・ハイジャック**は会員制サイトなどでログイン後に付与されたセッション情報を使って、攻撃者が何らかの形で利用者になりすますことで成立します。

■ セッション・ハイジャックのしくみ

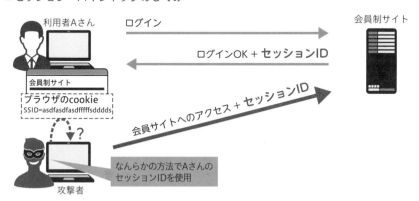

　セッション・ハイジャックによる、利用者のセッション情報を利用する方法は「通信盗聴による不正取得」「推測」「固定化」の３つがあります。いずれの場合も、会員制サイトにおけるセッションIDの設定に問題があると発生します。

通信の盗聴は会員制サイト側の不備のみならず、利用者が使うネットワークや通信機器、なりすましサイトへの誘導などにより行われます。

● 通信の盗聴・なりすましサイトによるセッション ID の不正取得

暗号化されたセキュアな通信で行われていない、脆弱な会員制サイトでは、セッション・ハイジャックが成立する可能性があります。

■ セッション ID 不正取得のしくみ

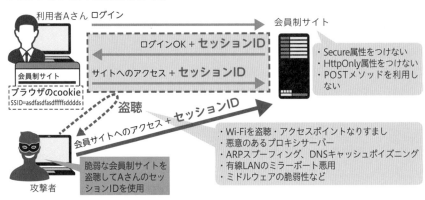

セッション ID 発行時に HttpOnly 属性を付けない場合は、JavaScript を利用した XSS 攻撃を受け、セッション ID を盗まれる可能性があります。また、Secure 属性を付けない場合は、暗号化しない HTTP 通信時にセッション ID の送付をブラウザが行うため、盗聴により漏洩するリスクが高くなります。POST メソッドを利用しないで、セッション ID を URL パラメータへ付与したアクセスも漏洩のリスクがあります。これは URL にセッション ID が露出するためです。

いずれの場合も会員制サイトのセッション管理に関する設定が原因です。

● セッション ID の推測

セッション ID の推測は脆弱な Web アプリケーションのライブラリをや自作のセッション管理を利用していることに起因するため、最新版の Web アプリケーションを利用することで、セッション ID の推測を防ぐことができます。

■ セッションIDの推測による不正取得のしくみ

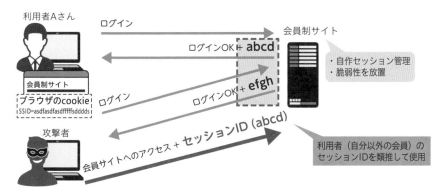

● セッションIDの固定化

　会員制サイトなどで利用されるセッションIDは、前回ログイン時のセッションIDを付与して過去に発行されたセッションIDで継続する場合があります。この脆弱性を**セッション・アダプション**といい、Webアプリケーションの脆弱性やURLにセッションIDを付与するサイトや、XSSの脆弱性を持つサイトなどでセッション・ハイジャックの固定化が成立します。

■ セッション・アダプションを狙った不正取得のしくみ

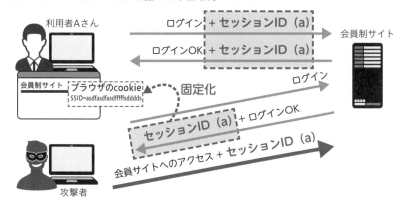

　セッションIDの固定化の対策も会員制サイト側で行います。セッション・アダプションの脆弱性がない最新版のWebアプリケーションを利用すること、XSSやCSRF対策を行うと共に、認証後にセッションIDを再発行して利用者のブラウザから送付されたセッションIDを継続して利用しないこと、トークン

などでページごとにチェックを行い対策します。

● リプレイ攻撃

リプレイ攻撃は、ログインパスワードや認証情報を通信の盗聴などにより不正に入手して利用します。認証に関する通信が暗号化されていても、盗聴や機器の解析で得られた暗号化データをそのまま切り取って再利用することで、利用者になりすます攻撃です。

セッション・ハイジャックは、暗号化されていない状態のセッションID（認証後の状態を証明するデータ）を狙って攻撃しますが、リプレイ攻撃は暗号化された通信データそのものから、認証データ部分を切り取って再利用します。リプレイ攻撃はHTTP通信のみならず、IoTや認証機能（指紋認証など）を持つさまざまな電子デバイスや通信においても成立する攻撃であり、攻撃の手口もさまざまなものが存在します。

■ リプレイ攻撃のしくみ

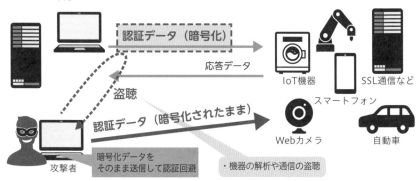

対策はセッション・ハイジャックと同じように、機器やサーバーで利用する認証処理の脆弱性をなくすことに加え、通信そのものにシーケンス番号を付与して利用者からの通信であることをチェックするなどが有効です。

IoTやスマートフォンなどの認証機能を解析し、認証データのパターンなどを再利用して認証を回避する事例などもあるため、今後セキュリティ対策が必要となる分野といえます。

● ルートキット攻撃

ルートキット攻撃は、それ自体にはマルウェアやスパイウェアなど悪影響のある要素はないものの、悪意のあるプログラムと併用されるとやっかいなツールの集合体・セットのことを指します。

その中身はOSの中枢であるシステムプログラムを置き換えたり、OSが行うデータの読み書き時や、システムがメモリに読み込む際などに、特定のプログラム名や通信ポートを秘匿する機能などを提供するツールセットになります。マルウェアなどと一緒に感染するほか、標的型攻撃の前段階として対象者の使用するパソコンに対してトロイの木馬や、ドライブバイダウンロードなどを仕掛けることで感染させたりします。

ルートキットに感染すると直接システムに悪影響を及ぼすわけではありませんが、マルウェアの活動を秘匿したり、RAT（Remote Access Tool）を利用したリモートアクセスを秘匿したりします。代表的なルートキットにはTDSSルートキット、Purple Foxなどがあります。

■ ルートキット攻撃のしくみ

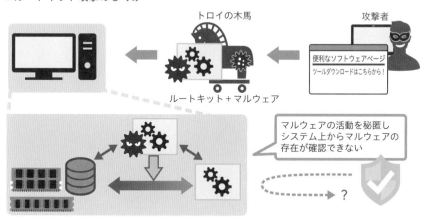

トロイの木馬
攻撃者
便利なソフトウェアページ
ツールダウンロードはこちらから！
ルートキット＋マルウェア
マルウェアの活動を秘匿しシステム上からマルウェアの存在が確認できない
？

ルートキットは、システムの管理領域上でマルウェアや特定のプロセス・通信を秘匿する性質上、OS上で動くウイルス対策ソフトなどでは対策が難しく、ブートキットと同様、駆除に成功してもシステムが動かなくなるリスクがあります。ルートキット専用のスキャンツールを利用するなどの対策が考えられま

すが、未知のルートキットに対しては有効とはいえず、感染の入り口となる不正プログラムの流入を阻止することがもっとも効果的な対策となります。

● 中間者攻撃

中間者攻撃（Man-in-the-middle attack）は、利用者とサーバーや通信機器の間へ攻撃者が割って入り、通信を中継することで盗聴やデータの改ざんを行うものです。一口に中間者攻撃といってもさまざまな手口・方法があります。メールの第三者中継攻撃や、オンラインバンク利用者に感染してブラウザからの入力内容を盗聴・改変する**MITB攻撃**、また、なりすましサーバーとなる**DNSキャッシュポイズニング攻撃**なども、中間者攻撃に分類されます。

　Wi-Fiを使った中間者攻撃は、スマートフォンやパソコンを屋外で利用する際にもっとも注意が必要といえます。カフェや空港、ちょっとした待合スペースなどにもフリーのWi-Fiスポットを見かけます。そこには「Free Wi-Fi ○○」など、接続するSSIDが表示され、簡単なパスワードを入力することで利用できるようになっています。一方でSSIDは簡単に変更できるため、そのSSIDが悪意のある攻撃者が用意したものである可能性があります。攻撃者が正規のWi-FiスポットをDDoS攻撃などで使用不能にさせてまったく同じSSIDを偽装した場合、利用者は気付くことができません。

■ 中間者攻撃のしくみ

使用不能にする

SSID：Free Wi-Fi Airport

・攻撃者が用意したWi-Fiを見破る方法がない

接続先へアクセス

インターネット

偽装した
SSID：Free Wi-Fi Airport

・攻撃者が用意
・盗聴・改ざんが可能

攻撃者が用意したWi-Fiスポットやなりすましサーバーなどで誘導されてしまった場合、暗号化されたセキュアなSSL通信（HTTPS通信）も盗聴や改ざんのリスクにさらされます。攻撃者が用意したプロキシサーバーやプロキシツールを利用して、SSL通信を代替することが可能だからです。

■ SSL認証改ざんのしくみ

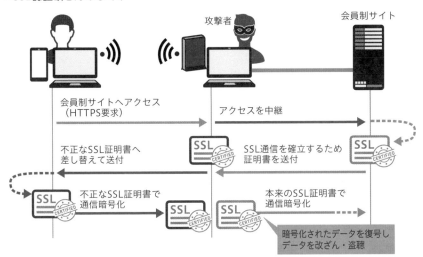

　SSL通信の第三者攻撃は、ユーザーのブラウザ上に不正な証明書の利用確認が表示されますが、セキュリティに関する知識を持っていない利用者は気付かないことがあるため、注意が必要です。

■ Amazonへアクセスした際に正しい証明書でSSL通信を行っている場合

■ 攻撃者が用意した不正な証明書（認証局に登録されていない証明書）を利用した場合

まとめ

▶ セッション・ハイジャックはセッションIDを「盗聴」「推測」「固定化」する攻撃で、Webサイト側で対策を行うが、盗聴の防御はWebサイトでの対策のみとなる

▶ ルートキット攻撃は直接システムに影響を与えることはないが、マルウェアの付属プログラムとして機能し、マルウェアや不正な通信などを秘匿するため非常に厄介である

▶ 中間者攻撃はサイト運営者による対策だけでは防止できない。とくにWi-Fiを使った中間者攻撃は決め手となる対策が存在しないため、注意が必要

19 負荷をかける攻撃

負荷をかける攻撃はさまざまな種類が存在しますが、ここで解説する攻撃はいずれも外部から多数のアクセスを行うことで攻撃対象に負荷をかけます。ここでは手作業で行う攻撃や、代表的なDoS攻撃などを解説します。

● F5アタック

Webサイトに負荷をかける攻撃でもっとも簡単な攻撃に**F5アタック**があります。攻撃したいサイトを開いて、連続してF5キーを押してページを再表示（リロード）させて負荷をかけます。代表的なWebブラウザではページの再表示機能にF5キーが割り当てられているため、こう呼ばれています。再表示キーを連続して入力することでサーバーに負荷をかけ攻撃することができます。

■F5アタックのしくみ

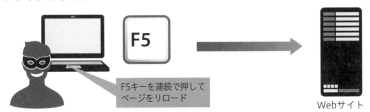

F5キーを連続で押して
ページをリロード

Webサイト

安易にF5を連打することは、Webサービスの利用を目的としないアクセスとして対象サーバーに記録されるため、軽い気持ちで行った、では済まされない場合もあり、注意が必要です。

F5アタックで攻撃を仕掛けても、昨今のWebサーバーは高性能なため、サービスに影響を与えるほどの負荷を与えることはできません。ただし、複数人で同時に実施した場合などは影響が出る場合があります。その場合は後述するDoS攻撃やDDos攻撃と同様に、アクセス元IPなどでフィルタリングするなどして対策します。

◎ 電子メール爆弾

電子メール爆弾はメールボムとも呼ばれます。特定のアドレスに対して大量の電子メールを送り付けることで、攻撃・嫌がらせをします。膨大な量のメールや極端に大きい添付ファイルを送付してメールサーバーに負荷をかけたり、メールボックスの容量を超過させたりする攻撃です。

■ 電信メール爆弾のしくみ

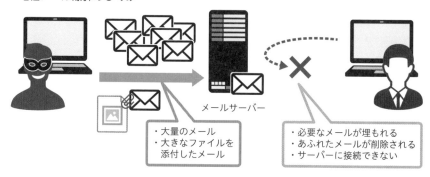

メールサーバー

・大量のメール
・大きなファイルを
　添付したメール

・必要なメールが埋もれる
・あふれたメールが削除される
・サーバーに接続できない

　電子メール爆弾の攻撃を受け、大きなサイズの添付ファイル付きメールを多数受信した場合に、必要なメールが削除されたり、新規にメールが受信できなくなったりします。大量のメールを受信した場合、受信ボックスの容量制限で必要なメールが受信できなかったり、受信できても何千通ものメールの中に本来必要なメールが埋もれてしまったりします。

　対策としては、メールサーバーに備わっている迷惑メールの機能を有効にします。最近はWeb上のメールサービスを利用することが多く、自前でメールサーバーを運用することが少なくなりました。メールフィルタ機能も標準で有効にすることが当たり前になり、電子メール爆弾の被害はあまり見られなくなっています。

● DoS攻撃

DoS攻撃（Denial of Service attack：サービス拒否攻撃）は、外部公開された IPアドレスを持つサーバーへさまざまな方法でネットワークパケットを送付 し、サーバーのリソースを消費させてサービスを妨害するものです。DoS攻撃 といってもさまざまな種類があり、消費させるリソースも違います。先に解説 したF5アタックもDoS攻撃の1つです。

■DoS攻撃の主な種類と特徴

攻撃名	送信元の偽装	特徴
Ping Flood 攻撃	容易	大量・大容量のPingパケットを送信して攻撃。受信したパケットをサーバーが処理してしまい、サーバーのメモリ・CPUを消費する
UDP Flood攻撃		大量・大容量のUDPパケットを送信して攻撃。受信したUDPパケットをサーバーが処理してまい、サーバーのメモリ・CPUを消費する
SYN／FIN Flood 攻撃		多量のSYN／FINパケット（TCPプロトコル）を受信したサーバーは、送信元からのACKパケットの待ち状態に陥り、サーバーのメモリを消費する
Connection Flood 攻撃	困難	確立したTCPコネクションを切断しないように維持し、サーバーで維持できるTCPコネクションの上限までセッションを増やし、新規のTCPコネクションを作成できなくする
HTTP Get Flood 攻撃		TCPコネクション確立後にHTTP GET通信を大量に送信し、サーバーの処理を高負荷にすることでサーバーのメモリ・CPUを消費する

● Ping Flood／UDP Flood 攻撃

Pingパケットを受信したサーバーは、受信したパケットの内容にもとづいて 応答します。したがって相手先から一方的に送付されたパケットであっても、 きちんと処理して応答のほかにも受信したパケットサイズのチェックなどを行 います。つまり、サーバーのリソースを消費することになるので、こうした行 為も十分に攻撃手段となります。UDPプロトコルを使うコマンド（NTPやDNS など）も同様で、送り付けたパケットの内容を強制的にサーバーで処理させる ことができます。NTPコマンドなどは外部ネットワークにあるTimeサーバー

から時刻の情報を取得することが一般的なため、正規のTimeサーバー以外からもNTP通信を通過させる設定であることが多く、対策されていない機器はインターネット上に数多く存在しています。

● SYN／FIN Flood攻撃

SYN／FIN Flood攻撃はPing Flood／UDP Flood攻撃と異なり、TCPプロトコルを使った通信を利用して攻撃を行います。TCPプロトコルで行うthree-way handshake（3ウェイハンドシェイク）の特徴を悪用し、SYNパケットとFINパケットを送り付け、通信の応答待ち状態を発生させることでサーバーのメモリリソースを消費させる攻撃です。

■SYN／FIN Flood攻撃のしくみ

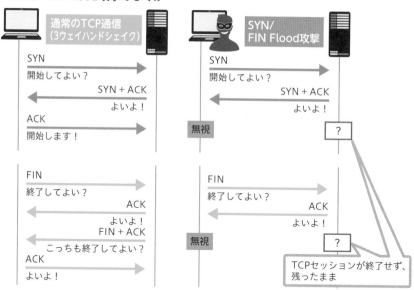

TCPプロトコルは、SYNパケット（FINパケット）を受け取ると、応答パケットであるSYN+ACKパケット（ACKパケット）を送信し、相手の受信を待ちます。一定時間経過すると待ち状態は解除されますが、SYN Flood攻撃では送信元アドレスを偽装して大量のパケットを送信するため、送信元（攻撃者）からの応答が得られず、TCPセッションを一定時間維持したままとなり、攻撃対象のサーバーのリソースを消費させます。

● Connection Flood 攻撃

SYN Flood攻撃の対策としてTCPセッション数に上限を設けたり、TCPセッションの応答待ち時間を短く設定するなどしたサーバーに対して行われるDoS攻撃が**Connection Flood**です。

■ Connection Flood攻撃のしくみ

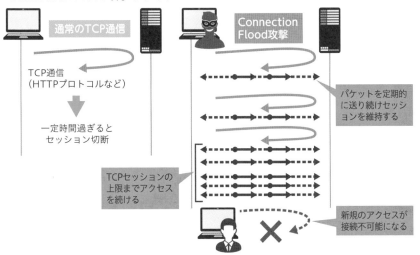

Connection Flood攻撃は、送信元（攻撃者）と攻撃対象サーバー間でTCP通信を開始したあとに、定期的にアクセスするなどしてTCPセッションを維持し続けます。サーバーで維持できるTCPセッション数の上限に達したあとは、サーバーは新規にTCPセッションを開始することができず機能しなくなります。

この攻撃は攻撃者のIPアドレス（送信元IPアドレス）を偽装できないため、送信元IPアドレスを受信拒否することで対策できます。

● HTTP Get Flood／F5アタック（リロード）攻撃

HTTP Get Flood／F5アタック（リロード）攻撃は、Webサーバーに対して多数のアクセスを行い、高負荷状態にします。CPUやメモリなどのサーバーリソースを消費させることで、Webサービスの処理に悪影響を与えます。この攻撃も送信元IPアドレスを受信拒否することで対策できます。

● DDoS 攻撃

DDoS攻撃（Distributed Denial of Service attack：分散型サービス拒否攻撃）は、DoS攻撃を複数のノード（パソコン／サーバー）から行います。多数のノード（踏み台）を操作するために、P.033で解説したボット（bot）やRAT（Remote Access Tools）を利用することが多い攻撃です。また、攻撃をSNSなどで呼びかけ、特定の組織に対してDDoS攻撃を仕掛ける場合もあります。

■ DoS攻撃とDDoS攻撃の違い

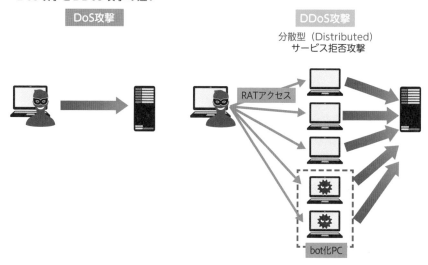

多数のノードからDoS攻撃を行う手法として、UDPプロトコルを利用したコマンドである、NTPコマンドを使った**NTPリフレクション攻撃**があります。この手法は、踏み台サーバーを多数用意し、偽装したNTPコマンドを送信して攻撃するというものです。UDPプロトコルはTCPプロトコルのように接続状態（セッション）を維持せず、送信したコマンドは送りっぱなしの仕様であるため、送信元IPアドレスを攻撃対象サーバーに偽装したNTPコマンドを攻撃者から踏み台サーバーへ送信すると、そのまま攻撃対象のサーバーへコマンド実行結果を送り付けます。

NTPコマンドのオプションには、送信コマンド（数文字）に対して数キロ〜数十キロバイトのコマンド結果を返すものもあるため、少ないデータ送信で大

量のデータを攻撃対象サーバーへ送り付けることが可能となります。

■ NTPリフレクション攻撃のしくみ

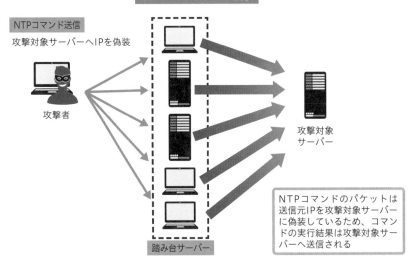

NTPリフレクション攻撃

NTPコマンド送信
攻撃対象サーバーへIPを偽装

攻撃者

攻撃対象
サーバー

踏み台サーバー

NTPコマンドのパケットは
送信元IPを攻撃対象サーバー
に偽装しているため、コマン
ドの実行結果は攻撃対象サー
バーへ送信される

　対策としては、インターネット上に公開するサーバーは公開するサービス（通信ポート）を限定し、接続可能なサーバーをフィルタリングしたり、外部から送付されるコマンドを実行しない設定を施します。攻撃対象とならないことはもちろん、踏み台サーバーとして利用されないように対策することが重要です。

まとめ

▶ 負荷をかける攻撃は手作業によるもののほか、通信の仕様やコマンドの特徴を利用して、大量のアクセスを仕掛ける

▶ 外部公開されたサーバーへのサービスを妨害し、サービスを受け付けない状態にする攻撃をDoS攻撃といい、多数のノードからDoS攻撃を行うことをDDoS攻撃という

20 プログラムの脆弱性を突いた攻撃

脆弱性は、すべてのハッキング攻撃の源泉といえます。ここではプログラムの脆弱性についての概要と、その脆弱性を利用した代表的な攻撃について解説します。

◎ ゼロデイ攻撃

ゼロデイ攻撃は、プログラムに脆弱性が発見され、製造元から修正プログラムが提供される日より前に、その脆弱性を利用した攻撃のことです。

■ 脆弱性が発見されて話題となった主なプログラム

CVE番号（俗名）	対象プログラム	影響
CVE-2014-0160 （HeartBleed）	Open SSL	Open SSLはHTTPS通信で利用される。攻撃を受けると、暗号化された通信からSSL証明書のパスワードやカード番号などの情報が漏洩する可能性がある。欠陥のあるプログラムがリリースされた2012年3月からおよそ2年間、脆弱性が対策されないままだった
CVE-2014-6271 他 （ShellShock）	Bash shell	Bash ShellはさまざまなLinuxで頻繁に使用され、サーバーのみならずLinuxを組み込んでいるハードウェア製品なども影響を受け、ShellShockの脆弱性が発覚すると、リモートでOSコマンドインジェクション攻撃が可能な状態に陥った（2014年9〜10月）
CVE-2015-0310 他 （Adobe Flash Player のゼロデイ攻撃）	Adobe Flash Player	脆弱性が報告され、対策版がリリースされたが、一部の脆弱性は残り続けた。2015年1月以降もAdobeの製品において脆弱性が報告されており、ゼロデイ攻撃が発生しやすい
CVE-2019-8900 （Appleデバイスの ブートROM脆弱性）	Apple 製品 iPhone、iPad など	2019年12月にAppleデバイスのほとんどを対象とするブートROMの脆弱性が報告され、デバイス上で任意のコードが利用可能となった。このケースでは修正も不可能だった。脆弱性を利用したジェイルブレイク（脱獄）アプリにcheckm8がある

脆弱性はプログラムがリリースされたときから内在するため、CVE番号が付与される以前から攻撃にさらされていた状態になります（CVE番号については P.115参照）。ゼロデイ攻撃で利用される脆弱性が乗っ取りや不正侵入を許すような場合、メーカーが行う対策前のため攻撃を完全に防ぐことが難しく、サービスの停止が難しいシステムでは非常に危険な状態に陥ります。

● バッファ・オーバーフロー

バッファ・オーバーフローは、何らかの値を入力して結果を得るプログラムが、処理可能なデータサイズを超えた入力値をプログラムが処理してしまう脆弱性です。DoS攻撃はサーバーに対して大量データを送り付け、過負荷な状態にしますが、バッファ・オーバーフローはサーバー上で実行されているプログラムに対して、処理可能なデータより大きいデータを処理させて異常な動作をさせる攻撃です。バッファ・オーバーフローの脆弱性を狙った攻撃が成立した場合、サーバー自体を乗っ取られるような深刻な事態に陥ります。

プログラムは実行されると、パソコンのメモリ上へ必要なデータ領域を用意します（WindowsOSでは実行されたプログラムをプロセスといいます）。プロセスへデータを入力したり、足し算や引き算の結果を一時的に保管したりする場合、プロセスはスタック領域へ一時的にデータを保管します。

■ プロセスとスタック領域の関係

実行直後のプログラム（プロセス）　　　　処理が進むと…

| 色々な処理 |
| 出力処理 |
| スタック領域 |

※処理中データを
1次的に保存する領域

実行を進める

| 色々な処理 |
| 出力処理（終了） |
| スタック領域 |
| データ |
| データ |
| データ |

スタック領域の空き領域をスタック・バッファという

プログラム内部の処理中データがスタックに保存される

バッファ・オーバーフローはこのスタック領域の上限を超えたデータを、外部から大量に送り込むことで発生します。大量のゴミデータを入力した場合は

スタック領域を超えてデータを保存しようとして、プロセスが管理するスタック領域を破壊してしまいます。

■ バッファ・オーバーフロー攻撃のしくみ

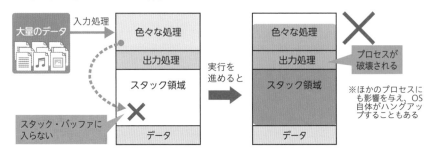

バッファ・オーバーフローの脆弱性を利用して、大量のゴミデータを悪意のあるプログラムに変えるスタック・オーバーフロー攻撃があります。

■ スタック・オーバーフロー攻撃のしくみ

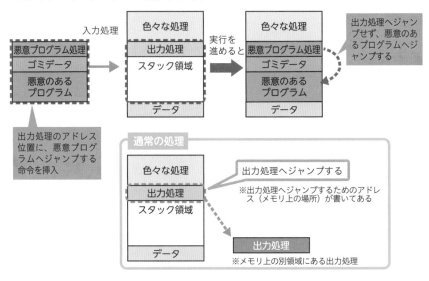

バッファ・オーバーフローは古くから存在する脆弱性であり、C言語やC++言語などで記述した処理を何も対策しないままコンパイル（実行ファイル化）すると、ほぼ間違いなくバッファ・オーバーフローの脆弱性を持ちます。現在

ではコンパイル時に暗黙的に安全なライブラリを参照するように設定された
り、OSでも対策がなされています。しかし、それでもバッファ・オーバーフロー
の脆弱性は内在するため、セキュアなプログラミングを行う必要があります。
詳しくはIPA（独立行政法人情報処理推進機構）に実装方法が掲載されているの
で、そちらを参照してください（https://www.ipa.go.jp/security/awareness/ven
dor/programmingv2/clanguage.html）。

● セキュリティ・ホール

セキュリティ・ホールは、ゼロデイ攻撃やバッファ・オーバーフローの脆弱
性を含めた、セキュリティ上欠陥となるミスや不具合のことをいいます。

　セキュリティ・ホールはさまざまな団体や組織で管理されていますが、もっ
ともよく知られたものに、**CVE番号**（Common Vulnerabilities and Exposures）
という脆弱性番号があります。その管理は米国の非営利団体のマイター社（The
MITRE Corporation）が管理しており、CVE番号は本書執筆時点で約14万件が
割り当てられています。発見された脆弱性は、発見者によりCVE管理サイト
へ登録することでマイター社に認知され、審査・登録を経て公開前に製造元へ
対策を行うよう注意喚起を行います。日本においてはIPAが取りまとめ、マイ
ター社へ連絡しています。

■CVE番号が検索できるマイター社のサイト
　（https://cve.mitre.org/cve/search_cve_list.html）

　これまで本章で解説してきたさまざまな攻撃はセキュリティ・ホール（脆弱
性）を利用したものであり、その対策は製造元による修正プログラムのリリー
スで解消されることがほとんどです。しかし、ゼロデイ攻撃のようにCVE番

号が付与されて管理されたからといって、すべてのセキュリティ・ホールが対策済みになるわけではありません。CVE番号が付与され公開されたものの、対策されていない脆弱性は攻撃者にとって絶好の標的になります。

　セキュリティ・ベンダーやセキュリティ対策製品を提供する企業や団体では、ファイアーウォール、IDS／WAFを使った製品の開発を行う場合や、システムの診断あるいは対策サービスを提供したりする場合に、CVE番号で管理される脆弱性を元に開発する場合があります。マイター社はマイター・アタック（P.039参照）としてサイバー攻撃に関するナレッジも管理しており、サイバーセキュリティ上なくてはならない団体の1つといえます。

◉ パッチ

　OSやソフトウェアに存在するセキュリティ・ホールは、製造元が提供する修正プログラムである**パッチ**を当てて対策します。セキュリティ・パッチが提供される前に行われるゼロデイ攻撃についてはすでに解説しましたが、セキュリティ・パッチの存在しない脆弱性も存在します。

■ ZERODIUMでは、エクスプロイト（攻撃プログラム）に対する有効な対策コードには報奨金を支払うプラットフォームを提供している（https://zerodium.com/program.htmlのWebページを一部加工して掲載）

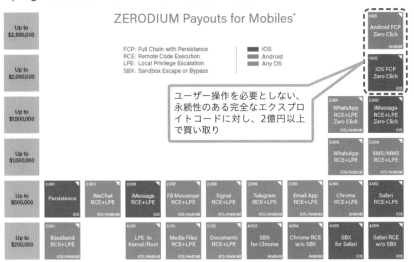

近年では**バグ・バウンティ制度**（Bug Bounty：脆弱性情報の買い取り制度）が活発化しており、ソフトウェアなどの製造元や脆弱性情報をトレードする企業や会社が、脆弱性発見者から情報を買い取り、対策プログラムをリリースするケースもあります。

セキュリティ対策においてはセキュリティ・パッチなどを定期的に更新しておくことが基本ではあるものの、その対策だけでは不十分であり、システムを利用するうえでセキュリティに対する考慮・対策は常に意識する必要があります。

情報資産の閲覧・更新などのアクセス権を設定する基本的な対策や、外部公開するサービスの脆弱性診断などはいまだ徹底されているとはいえず、効率化や利便性の向上が優先され導入されてきたITについて、見直す必要性が年々高くなりつつあるといえます。

まとめ

- ▶ 製造されたプログラムが持つセキュリティ上の欠陥をセキュリティ・ホール（脆弱性）といい、製造元より提供されるパッチにより対策される

- ▶ パッチ提供前にセキュリティ・ホールを利用したサイバー攻撃をゼロデイ攻撃という

- ▶ バッファ・オーバーフローの脆弱性は、プログラムに対して悪意のあるプログラムを実行させる手法の1つである

- ▶ 脆弱性情報はCVE番号にて管理され、製造元からセキュリティ・パッチが提供されるが、近年では脆弱性情報を買い取るバグ・バウンティ制度も活発化している

小規模向けリモートワーク環境の導入例
筆者のお勧め製品

リモートワークというワークスタイルは、コロナウイルスの影響で一気に広がりを見せました。そこで、ここでは小規模オフィス向けリモートワーク環境の例を紹介します。そして、この環境で紹介す製品はズバリ、筆者がお勧めするものです。ブロードバンドルーターについては、細かな設定が行え、アフターサービスも充実した機器を選定しているので参考にしてみてください。

　■オフィス側（接続先）
　　オフィスのパソコン（Windows 10 Professional）
　　ブロードバンドルーター（YAMAHA RTX830）
　■サテライト側（自宅、接続元）
　　自宅パソコン（Windows 10 Home）

①オフィスのパソコン

オフィス側のパソコン（操作される側）は、Windows 10 Professionalを使用します。Windows 10 Homeではリモートデスクトップが利用できないためです。また、リモートデスクトップ画面でファイルコピーやテキストコピーを抑止する場合は、ローカルポリシーまたはグループポリシーを設定して対応しますが、どちらもWindows 10 Homeでは利用できません。

　※リモートデスクトップ画面から接続元パソコンへのコピーを禁止する場合は「クリップボードのリダイレクトを許可しない」ポリシーを有効にします。

②ブロードバンドルーター

インターネット回線契約時にプロバイダーから配布されるルーターでもVPNは利用できます。VPN通信をポート・フォワード（転送）し、VPN通信の転送先にVPNサーバーを構築すれば実現できます。ただしネットワーク設定に関するアフターサービスがあまりよくなく、VPNサーバーを構築するよりもネットワーク機器に組み込まれたVPN機能を使う方が故障トラブルも少ないです。

アフターサービスや設定例の豊富な機器を導入することは、ネットワーク学習にも大いに役立ちます。ヤマハルーターは問い合わせなどのアフターサービスも充実し、設定例やマニュアルが豊富です。ネットワーク機器は安いものでは1万円以下からありますが、ネットワーク機器のセキュリティや設定例・アフターサービスに大きな差がでます。小規模オフィスのネットワーク機器はコスト面と導入のしやすさでヤマハ製品がお勧めです。

4章

↓

セキュリティ確保の基礎技術

現代ではセキュリティを確保するためにさまざまな技術が駆使されています。ここでは暗号化と認証、また安全な通信を行うために作られたインフラ技術などの概要について解説します。

21 暗号化技術の基礎

ネットワーク上を流れる情報は常に狙われています。攻撃者は、盗聴、またはスニッフィングと呼ばれる行為により、データを採取・解析して情報を盗み取ります。そのため、大切なデータの機密性や完全性を保つために暗号化技術が使われます。

◉ 盗聴

　攻撃者は、**スニファツール**（盗聴ツール）を使用して特定のネットワークを通過するすべての**データパケットを監視し、採取**します。このときにデータが暗号化されておらず、平文でネットワーク上を流れている場合、パスワードやアカウント情報を含むあらゆる情報を攻撃者に盗み取られてしまいます。

　なお、スニファとは匂いを嗅ぐ英語の「sniff」から来ており、ネットワークを流れるトラフィックを嗅ぎ取るという意味合いを持っています。このように説明するとスニファが悪者のようなイメージを抱いてしまいますが、スニファ

■ 盗聴のしくみ

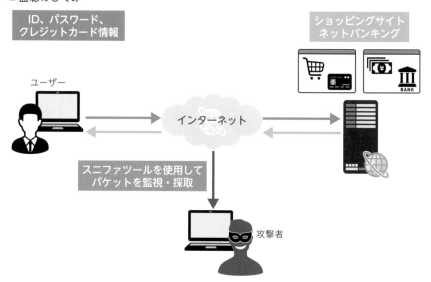

はLANアナライザの別名として呼ばれることもあり、それ自体が悪意を持つというものではありません。

● 暗号化と複合、解読

暗号化技術は、ネットワークを流れる情報、Eメールメッセージ、チャットセッション、Webトランザクション、個人のデータ、企業のデータ、電子商取引アプリケーションなどの機密データの保護のために用いられます。

暗号化とは、暗号化アルゴリズム（暗号化の手法）と暗号化鍵を使用して、平文を読めない状態にデータ変換することをいいます。**復号**とは、暗号化して読めない状態にしたデータを、暗号化する際に使用した暗号アルゴリズムと復号鍵を使って平文へ戻すことをいいます。**解読**は暗号化の際の情報や復号鍵がない状態で、暗号化されたデータを平文へ戻すことをいいます。

暗号化技術については、現代のITは暗号化技術が支えているといっても過言ではないほど、切っても切れない関係で成り立っています。注目キーワードでいえば、たとえばブロックチェーンなども暗号化技術抜きには語れません。

■ 暗号化・復号・解読のしくみ

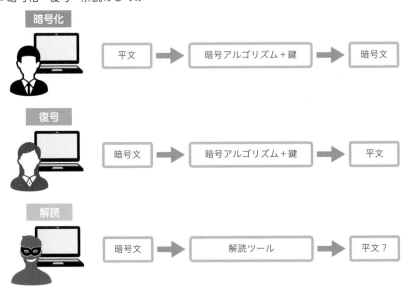

暗号化技術は種類や方式などが複数ありますが、本書では通信を中心にした技術を紹介していきます。

● 暗号化技術の種類（概要）

暗号化技術には、**共通鍵暗号方式**と**公開鍵暗号方式**の２種類があります。

①共通鍵暗号方式

　暗号化に使用する鍵と復号に使用する鍵が同一の方式です。暗号化と復号に同じ鍵を使うので、鍵は第三者に秘密にしておく必要があります。そのため、秘密鍵暗号方式とも呼ばれます。共通鍵暗号方式は処理が高速ですが、やり取りする人の数だけ鍵が必要になるので、鍵の管理が煩雑になります。共通鍵暗号方式の暗号化のアルゴリズムには、DESやAESなどがあります。

②公開鍵暗号方式

　暗号化に使用する鍵と復号に使用する鍵が異なる方式です。暗号化に使用する鍵は公開されている鍵、復号に使用する鍵は秘密鍵を使用します。暗号化は誰でもできますが、復号は秘密鍵を持っている本人しかできません。公開鍵暗号方式は処理は低速ですが、管理する鍵の数が少なく済みます。公開暗号方式の暗号暗号化アルゴリズムには、RSAなどがあります。

■ 暗号化技術の種類

	共通鍵暗号方式	公開鍵暗号方式
暗号化と復号の鍵	同一	異なる
鍵の配送	秘密鍵を配送するため手間	公開されているので配送不要
処理速度	速い	遅い
必要な鍵の数	少ない　$n(n-1)/2$	多い　$2n$
秘密に管理する鍵	両方の共通鍵	自分の復号鍵のみ
代表的なアルゴリズム	AES、DES	RSA

● CRYPTREC暗号リスト

　CRYPTREC（Cryptography Research and Evaluation Committees）は、電子

政府推奨暗号の安全性を評価・監視し、暗号化技術の適切な実装法・運用法を調査・検討するプロジェクトです（電子政府における調達のために参照すべき暗号のリスト：**CRYPTREC暗号リスト**）。

CRYPTREC暗号リストは、以下の3つで構成されています。CRYPTREC暗号リストの内容を知ることで、暗号化の理解を深めることができます。

①電子政府推奨暗号リスト

CRYPTRECにより安全性と実装性能が確認された暗号化技術について、市場における利用実績が十分であるか今後の普及が見込まれると判断され、その技術の利用を推奨するもののリストです。

②推奨候補暗号リスト

CRYPTRECにより安全性および実装性能が確認され、今後、電子政府推奨暗号リストに掲載される可能性のある暗号化技術のリストです。

③運用監視暗号リスト

実際に解読されるリスクが高まるなど、推奨すべき状態ではなくなったとCRYPTRECにより確認された暗号化技術のうち、互換性維持のために継続利用を容認するもののリストです。互換性維持以外の目的での利用は推奨されていません。

まとめ

- ▷ **ネットワーク上のデータは、盗聴により盗み取られる可能性がある**
- ▷ **暗号化技術はデータの機密性を保護するために使用する**
- ▷ **暗号化技術には、共通鍵暗号方式と公開鍵暗号方式の2種類がある**
- ▷ **CRYPTRECは、暗号技術の安全性の監視や適切な運用法の検討を行うプロジェクトである**

22 暗号化技術の種類

ここでは「共通鍵暗号方式」と「公開鍵暗号方式」について、もう少し詳しく見ていきます。暗号方式ごとのアルゴリズムや、実際の使われ方についても確認します。また、ハッシュ関数とその違いについても解説していきます。

● 共通鍵暗号方式のアルゴリズム

暗号化と復号に同じ鍵を使用する共通鍵暗号方式には、DESとAESという2つの代表的な暗号化アルゴリズムがあります。

①DES

DES（Data Encryption Standard）は、かつて米国でデータ暗号化標準とされていました。現在では多くの用途で安全ではないという評価を受けており、標準暗号の座をAESに譲っています。安全でない評価の主な理由は、鍵の長さが56ビットと短い点です。

②AES

AES（Advanced Encryption Standard）高度暗号化標準は、時代的に古く、陳腐化したDESに代わり、アメリカ国立標準技術研究所（NIST）が規格化した新しい標準暗号です。鍵長に128ビット・192ビット・256ビットの3つが利用できるという特徴を持っています。AESはCRYPTRECの『電子政府推奨暗号リスト』にも登録されており、日本政府が推奨する暗号です。

■ DESとAES

名称	方式	鍵の長さ	特徴
DES	共通鍵暗号方式	56ビット	・1976年国立標準局（NBS）がアメリカ合衆国の公式連邦情報処理標準（現NIST）として採用された ・長く標準暗号として利用されたが時代の流れとともに陳腐化し、現在では安全でないとの評価
AES	共通鍵暗号方式	128／192／256ビット	・2001年DESに代わる新たな標準暗号としてNISTにより採用された。現在の標準暗号

● 公開鍵暗号方式のアルゴリズム

　公開鍵暗号方式では、誰にでも公開されている**公開鍵**で暗号化し、自分だけ
が持っている**秘密鍵**で復号します。この公開鍵と秘密鍵のセットを**キーペア**と
いいます。公開鍵暗号方式にはRSAという代表的なアルゴリズムがあります。
①RSA

　通常の公開鍵暗号方式は、公開鍵で暗号化を行い、秘密鍵で復号を行います。
しかし、**RSA**は、**秘密鍵を利用して暗号化を行い、公開鍵を用いて復号を
行うことも可能**です。このためRSAは暗号化だけでなく、認証システムと
しても幅広く使用されています。

● 共通鍵暗号方式 (AES) と公開鍵暗号方式 (RSA) の使用例

　共通鍵暗号方式は使い勝手はよいのですが、秘密鍵の受け渡しに難がありま
した。そこで、共通鍵暗号方式の秘密鍵を公開鍵暗号方式で暗号化して受け渡
しをする、**ハイブリッド方式**が主流となっています。

■ ハイブリッド方式のしくみ

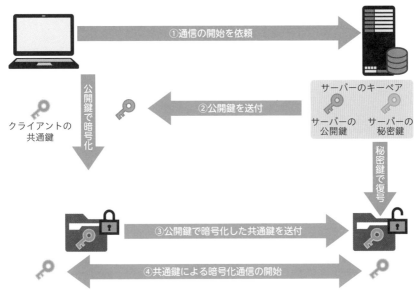

◉ ハッシュ関数

ハッシュ関数とは、入力した数値や文字列をまったく別の文字列（ハッシュ値）に変換する関数です。得られたハッシュ値は、元のデータの長さに関係なく一定の長さとなっており、**同じデータからは必ず同じハッシュ値が得られます**。少しでも違いがあれば、ハッシュ値はまったく別のものになります。また、**ハッシュ値から元のデータを復元することはできません**。ハッシュ関数にはMD5、SHA-1、SHA-2などのアルゴリズムが存在します。

①MD5

MD5のハッシュ値は128ビットです。前身のMD4の安全性を向上させたもので、1991年に開発されましたが脆弱性が見つかっており、現在では使用を推奨されていません。しかし、ファイルの同一性チェックでは使用されています。

②SHA-1

SHA-1はSecure Hash Algorithmシリーズの初代SHA-0の弱点を修正したバージョンです。ハッシュ値は160ビットで、この関数も現在は使用を推奨されていませんが、ファイル同一性チェックでは使用されています。

③SHA-2

SHA-2はSHA-1の改良系です。SHA-2にはビット数の異なる複数の規格があり、256ビットと512ビットのものはとくにSHA-256／SHA-512と呼ばれています。SHA-2はCRYPTRECにおいて、推奨暗号として採用されています。

■ ハッシュ関数のしくみ

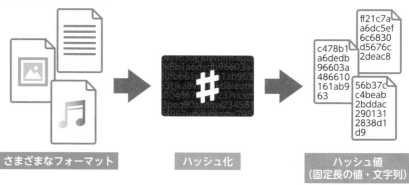

さまざまなフォーマット　　ハッシュ化　　ハッシュ値（固定長の値・文字列）

● 暗号化とハッシュ化の違い

　暗号化したデータは最終的に復号して平文を取り出すので、元の値がわからないように隠すだけです。正しい相手にだけ元のデータを伝えたいときに使用します。

　ハッシュ化したデータは元には戻りません。これを**不可逆変換**といいます。したがって、元の文字列がわかってはいけないパスワードの保管に使用するほか、データに間違いや破損などがないか、整合性を取る場合に使用されます。電子署名やメッセージ認証で使われるのもハッシュ化です。

■ 暗号化とハッシュ化の違い

	暗号化	ハッシュ化
主に使用されるケース	データの受け渡し	OSのパスワード保存
元データ	復号可能	復号不可能
鍵	必要	不要
アルゴリズム	DES／AES／RSAなど	MD5／SHA-1／SHA-2など
長さ	不定	固定

まとめ

▷ **公開鍵暗号方式は、共通鍵暗号方式の鍵を安全に渡すことができる**

▷ **ハッシュ関数は入力された値を固定の長さのバラバラのデータに変換し、バラバラにされたデータは元には戻せない**

▷ **暗号化は元の値が必要なときに使用し、ハッシュ化は元の値がわかってはいけない、わからなくてよいときに使用する**

23 暗号鍵管理システム

どんなに強力な暗号鍵アルゴリズムでデータを暗号化しても、鍵の運用が適切に行われなければ、データは容易に複合されてしまいます。ここでは鍵の運用を適切に行うための暗号鍵管理システムについて解説します。

● 不適切な鍵管理によるリスク

　暗号化をすればデータは守られていると思いがちですが、鍵の適切な管理なくしては、情報のセキュリティは守られません。暗号化データと鍵の不適切な管理を行ってしまった場合には、以下のようなリスクが考えられます。

- ・外部からの不正アクセスによる暗号化データと暗号鍵の窃取による情報漏洩
- ・バックアップデータの盗難による情報漏洩
- ・破棄したバックアップストレージやディスクからの情報漏洩
- ・ディスクの抜き取り（持出）による情報漏洩

■ リスクのある鍵管理

鍵が適正に管理されていないと、簡単に復号され、情報が漏洩してしまう

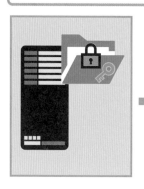

攻撃者

● 暗号鍵管理システム

暗号鍵管理システムとは、暗号鍵の管理を支援するシステムのことです。システムとして、鍵の生成、変更、保存、使用、期限の管理、削除までの工程を管理します。また、暗号化されたデータと復号鍵は別に保管されます。これにより、仮にデータを不正に奪われたとしても、復号は困難なため情報は守られます。

■ 適切な鍵管理

鍵が適切に管理されていると、データが流出しても復号できないため、情報は守られる

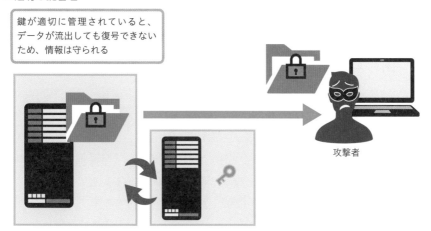

攻撃者

　暗号鍵管理システムは、P.012でも解説した情報セキュリティの機密性・完全性・可用性を維持するための重要な役割を担っています。前述した各工程を1つ1つしっかりと行うと同時に、一連のサイクルとして適切に管理することが求められます。

まとめ

▶ **暗号化しただけではデータが守られているとはいえない**

▶ **暗号鍵管理システムは鍵の適切な管理を支援し、暗号化されたデータのセキュリティ強度を高める**

▶ **不適切な鍵の管理は情報漏洩のリスクを高めてしまう**

24 ディスク／ファイルの暗号化

HDD全体、またはドライブ単位で暗号化することをディスクの暗号化といい、個々のファイルを暗号化することをファイルの暗号化といいます。いずれの暗号化も正当な使用者のみがディスクやファイルを使用するための施策です。

● ディスクの暗号化

　ノートパソコンを持ち出す際のリスクとして、紛失や盗難が考えられます。ノートパソコンを紛失、盗難してしまった場合でも、パソコン内のデータを守るための施策としては、**ディスクを丸ごと暗号化する方法**と、データ保存領域の**ドライブを暗号化する方法**の2つがあります。ディスクの暗号化といった場合、主には前者の丸ごと暗号化する方法が該当します。この方法ではデータ自体が暗号化されているわけではないので、何らかの方法で暗号化が破られてしまうと、パソコン内のすべてのデータが閲覧可能となってしまいます。

　ディスクを暗号化するには専用のソフトウェアを利用します。Windowsパソコンであれば BitLocker を有効にするなどして、比較的簡単に暗号化を施せる場合もあります。ただし、暗号化を施す場合には注意が必要です。安易に暗号化を行うことで、自身がパソコンにアクセスできなくなったり、データが破損してしまったりするケースもゼロではありません。ディスクの暗号化は信頼性のある製品で行い、利用方法もきちんと理解してから行うのが鉄則といえるでしょう。

● ファイルの暗号化

　共有のファイルサーバーに機密文書を保管する場合や、メールにファイルを添付する場合に、**ファイルの暗号化**を行います。誤送信による情報漏洩や、許可していない者のファイルの閲覧を防ぐことを目的としています。

　ちなみに、数年前から注目されているのが**秘密分散方式**と呼ばれる暗号化技

術を使わないデータの保護方式です。データファイルを無意味なデータへ変換したうえで、そのデータを2つに断片化します。断片化された分散片はそれぞれ別の場所に格納されます（たとえば自身のパソコン内と、サーバーやUSBメモリなど）。したがって、この2つが揃わないとデータの復元ができないといったわけです。こうした秘密分散方式を採っていれば、仮にパソコンが盗まれたとしても機密情報の漏洩の心配はありません。

　ここでは暗号化がテーマなので詳しい解説は控えますが、こうした暗号化と肩を並べるような技術も存在していることは知っておくとよいでしょう。

■ディスク／ファイルの暗号化

ファイルの暗号化

ファイルサーバーなど、複数の人物がアクセスする場所に、機密文書などを保存する際に、他者の閲覧を制限するために使用する

ディスクの暗号化

ノートパソコンなどを持ち出して使用する際に、紛失や盗難対策として行う。ディスクを丸ごと暗号化してデータを守る

まとめ

▶ **ファイルの暗号化は共有スペースで閲覧者を制限したいときなどに行う**

▶ **ディスクの暗号化はノートパソコンを持ち出した際に、盗難や紛失のリスクからデータを守りたいときに行う**

25 危殆化

IT技術は日々進化しています。昨日まで安全として使われていた技術が、今日には脆弱な技術となってしまうことがしばしばあります。ここではその具体例を見ていきます。

● コンピューターの進化とセキュリティ

コンピューターの計算能力の向上により、今まで安全とされた暗号アルゴリズムやハッシュ関数の安全性は、次第に低下していきます。このように、ある技術が安全でなくなってしまうことをセキュリティでは**危殆化**（きたいか）といいます。

危殆化した技術を使い続けることは非常に危険です。大事なデータを暗号化しても、その鍵はすでに悪意のある第三者に渡っている状態です。

■ 危殆化のイメージ

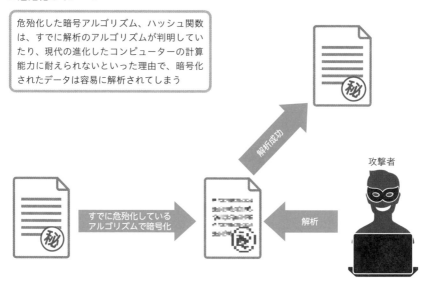

危殆化した暗号アルゴリズム、ハッシュ関数は、すでに解析のアルゴリズムが判明していたり、現代の進化したコンピューターの計算能力に耐えられないといった理由で、暗号化されたデータは容易に解析されてしまう

解析成功

攻撃者

すでに危殆化している
アルゴリズムで暗号化

解析

● 危殆化の例

①DES

56ビットという鍵長の短さから、総当り攻撃による突破が可能であること
が公表されています。この事実をもって即攻撃が可能であるということを示
すものではありませんが、現在ではAESの利用が主流となっています。

②MD5

2つの異なるデータからハッシュ関数などで生成したハッシュ値などの値が
同じ値になることを**衝突**といいます。MD5にはこの衝突を効率的に探索す
るアルゴリズムが存在しています。

● 危殆化について意識すること

暗号アルゴリズムは、ソフトウェアやハードウェアなど、いろいろなシステ
ムに組み込まれて使用されています。システムに組み込まれた暗号アルゴリズ
ムの危殆化についても、意識しておく必要があります。

実際、IPA（独立行政法人情報処理推進機構）の報告書によれば、RSA暗号に
おいても、ある機関から576ビットの素因数分解が報告されたことにより、現
在主に利用されている1024ビット鍵のRSA暗号および署名に対して、危機感
を募らせている研究者も存在するとしています（https://www.ipa.go.jp/fil
es/000013736.pdf）。こうした報告書についても、時間の許す限り目を通した
いものです。

まとめ

- ▶ **セキュリティ技術が安全でなくなったことを危殆化という**
- ▶ **危殆化した技術を使用し続けることは危険である**
- ▶ **システムに組み込まれた暗号アルゴリズムの危殆化について
も、意識しておく必要がある**

26 利用者に対する認証技術

システムを使用する際には、まず対象者が正当な使用者であるかを確認します。これを認証といいます。ここでは実際によく使われている認証技術について解説します。

● PINコード

PINコードとは認証のための暗証番号のことで、単純にPINとも呼ばれます。Personal Identification Numberの頭文字をとってPINです。4桁程度の数字であることが多く、あまり複雑ではありません。複雑でない理由は、**認証の場所や条件が限定的**であるためです。例としては銀行のATMが挙げられます。キャッシュカードと暗証番号の組み合わせでATMの認証を通過し、その認証情報で銀行口座にアクセスできます。

■ PINコードとパスワード

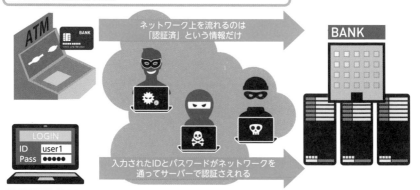

PINコードを使用した認証
① 認証に必要なものが多い（PINコード、キャッシュカード、ATM）
② ATMに挿入したキャッシュカードと、入力したPINコードによって、ATM内で認証が行われる

ネットワーク上を流れるのは「認証済」という情報だけ

BANK

入力されたIDとパスワードがネットワークを通ってサーバーで認証さえれる

パスワードを使用した認証
① 認証に必要なのはブラウザとIDとパスワード
② ブラウザに入力したIDとパスワードはサーバーで認証が行われる

● ワンタイムパスワード

ワンタイムパスワードは、あるサービスにアクセスするために発行される**一度限り有効なパスワード**です。特徴としては、パスワードは一定時間で変更（システムによりますがたとえば1分ごとに変更されるなど）されるため、前述した一度しか使用できないことに加えて、仮に盗まれたとしてもそのタイムラグによってリスクを低減できるというメリットがあります。金融機関などで広く利用されています。

● トークン

トークンは、ワンタイムパスワードを生成するツールの総称です。トークンには、液晶画面にトークンが表示されるハードウェア型、スマートフォンなどでアプリをダウンロードして使用するアプリ型などがあります。

● 多要素認証

多要素認証とは、パソコンやサーバーへのアクセス、Webサービスへの**ログインに2つ以上の要素を使用する**ことをいいます。認証に複数の要素を必要とすることで、不正アクセスのハードル上げてセキュリティを高めます。

・**3つの認証要素**

①知識情報（Something you know）

ユーザーが**知っていることで認証**を行います。代表的な知識情報はパスワード、秘密の質問などです。

②所持情報（something you have）

ユーザーが**持っているもので認証**を行います。代表的な所有情報はハードウェアトークン、スマートフォンなどの物理的なデバイス、またはSMSで受信した認証コードなど物理デバイスと紐づいたアプリケーションです。

③生体情報（something you are）

ユーザーの**人体で認証**を行います。代表的な生体情報は、指紋、静脈、顔、声、虹彩などがあります。

● S／KEY

S／KEY方式は、ワンタイムパスワードを使用する認証方式の1つです。S／KEY方式では、サーバーにログインできる上限回数の**シーケンス**と、**シード**と呼ばれる任意の文字列を設定して認証するのが特徴です。

具体的にはシーケンスとシード、そしてユーザーが決めたパスワード＋シードを、ログイン上限回数と同じ回数だけハッシュ関数に通して得たハッシュ値をサーバーに設定しておきます。

以降は以下のような流れになります。

①ユーザーからアクセス要求をサーバーに送ります。

②サーバーはシーケンスからマイナス1した数とシードを送付します。

③ユーザーはパスワードとシードを合わせた文字列を送られてきたシーケンス回数分ハッシュ関数にかけます。

④③で得たハッシュ値をサーバーへ送付します。

⑤④で送られて来たハッシュ値をもう一度ハッシュ関数にかけ、サーバーに保存されているハッシュ値と比較します。

⑥ハッシュ値が一致すればアクセスを許可します。

保存されていたハッシュ値を破棄して、代わりに④でユーザーから送付されたハッシュ値を保存します。

上記の流れを図式化すると以下のようになります。

■S／KEYのしくみ

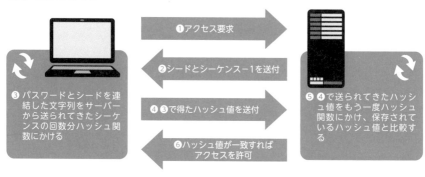

① アクセス要求

② シードとシーケンス－1を送付

③ パスワードとシードを連結した文字列をサーバーから送られてきたシーケンスの回数分ハッシュ関数にかける

④ ③で得たハッシュ値を送付

⑤ ④で送られてきたハッシュ値をもう一度ハッシュ関数にかけ、保存されているハッシュ値と比較する

⑥ ハッシュ値が一致すればアクセスを許可

リスクベース認証

リスクベース認証は、ユーザーの行動がいつもと同じかどうかを判定し、違うようであれば不正アクセスのリスクが高いと判断し、認証を追加することでより確度の高い本人認証を行うものです。ユーザーの行動情報は、使用するOS、IPアドレス、ブラウザ、ログインする時間帯などで、追加される認証は秘密の質問などです。

■ リスクベース認証のしくみ

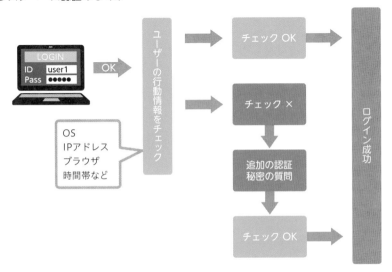

まとめ

▷ 認証はIDとパスワードだけではなく、用途によりいろいろな種類が存在する

▷ 多要素認証は2つ以上の認証要素を組み合わせて認証の強度を高める

▷ 多要素認証の3要素とは、知っていること、持っているもの、ユーザーの体の3つである

27 | 生体認証技術

生体認証技術は、多要素認証の3要素のうちの1つである生体情報（something you are）を使用してユーザーを特定し、認証を行うものです。スキャニング技術の向上により、認証に使用できる体の部位も多様になっています。

◎ 静脈認証／虹彩認証／網膜認証／声紋認証／顔認証

　生体認証といわれてすぐに思い浮かぶのは**指紋認証**でしょう。スマートフォンやノートパソコンを利用していれば、すでに馴染みとなっているかもしれません。しかし現在では指紋認証以外にもさまざまな生体認証が研究、普及しています。生体認証はバイオメトリクスとも呼ばれます。

　静脈認証は血管の**静脈の形状パターン**を用いた認証方式です。認証精度が高く、偽造がしにくく、指、掌、手の甲、手首などの静脈の形状パターンを使用するので、認証が行いやすい方式です。

　虹彩とは、人体の眼球のうち、瞳孔の周りにある環状の組織で、細かく複雑なパターンを形成しています。その**虹彩の形状パターン**を用いた認証方式が**虹彩認証**です。虹彩認証も静脈認証と同じく、認証精度の高さと認証のしやすさに特徴があります。

　人体の眼球のうち、網膜とは目が取り込んだ光が像を結ぶ場所で、眼球の奥にあります。その**網膜の毛細血管の形状パターン**を用いた認証方式が**網膜認証**です。網膜パターンが目の奥にあるため、目の至近で読み取りを行うものが多く、読み取りのための機器が大掛かりになります。

　人体から発せられる声の**声紋のパターン**を用いた認証方式が**声紋認証**です。声は体調による変化起こりやすく、ノイズにも弱いため、環境の影響を受けやすいですが、遠隔で認証を行えるなど利用の幅は広いです。

　顔認証は、顔のパーツの配置、形状などの特徴をパターンとして認証に使用した方式です。スマートフォンに採用されるなど、現在ではもっとも身近な生体認証の1つです。

■ 生体認証の種類

名称	特徴
静脈認証	静脈のパターンを読み取って認証を行う。主に手（指、掌、手の甲、手首）の静脈パターンで認証を行うため読み取りが容易
虹彩認証	虹彩のパターンを読み取って認証を行う。虹彩は目の表面に近い場所にあるため読み取りが容易
網膜認証	網膜のパターンを読み取って認証を行う。網膜は目の奥にあるため読み取りは目の至近距離で行う
声紋認証	声紋のパターンを読み取って認証を行う。音声のためノイズに弱く環境の影響を受けやすい
顔認証	顔のパーツの特徴をパターンとして読み取って認証を行う。スマートフォンなどにも採用されており身近な生体認証となっている

● 本人拒否率

　本人拒否率とは、生体認証における認証エラーの1つです。**正当なユーザーであるのに認証されないこと**をいいます。**FRR**（False Rejection Rate）とも呼ばれます。

● 他人受入率

　他人受入率とは、生体認証における認証エラーの1つです。**正当なユーザーではないのに承認されてしまうこと**をいいます。**FAR**（False Acceptance Rate）とも呼ばれます。

まとめ

▷ **生体認証にはさまざまな特徴を持った認証方式が複数ある**

▷ **本人拒否率（FRR）は本人が認証されない確率である**

▷ **他人受入率（FAR）は他人が認証されてしまう確率である**

28 PKI

インターネット上で安全に通信を行うために、PKIというしくみが用意されています。インターネット利用者は、PKIの暗号化、署名、認証を使用することにより、盗聴、改ざん、なりすましの防止に役立てることができます。

● PKI

PKI（Public Key Infrastructure）とは、**公開鍵暗号方式**（**公開鍵**と**秘密鍵**のキーペア）を使用して通信を安全に行うための**公開鍵暗号基盤**のことです。公開鍵を正しく発行・配布するために整備されたセキュリティインフラです。公開鍵は誰でも取得することができますが、秘密鍵は申請者と申請者が許可する受信側しか持つことができません。したがって暗号化された情報の復号は、この受信者だけが行うことができます。認証局（CA）と呼ばれる第三者機関から発行された証明書を使用することで、インターネット上の身元を証明し、安全に暗号化通信を行うことができるようになります。

● 認証局（CA）

PKIにおける**認証局**（CA：Certification Authority）の役割は、**デジタル証明書の発行**とその**失効**です。認証局（CA）はデジタル証明申請を受け付けると、その申請者が実在するか確認を行います。確認が取れると、認証局はデジタル証明書を発行し、申請者の公開鍵を保証します。発行された証明書には有効期限が設けられており、継続して使用するには更新が必要です。また、認証局は使用者からの申請により、有効期限前に証明書の失効を行うことができます。こうした一連の手続きは、認証局を構成する、登録局（Registration Authority）、そして実際に電子証明書の発行や失効を行う発行局（Issuing Authority）、さらに証明書の有効性に関する情報を提供するリポジトリ（Repository）などによって行われます。

CRL（証明書失効リスト）

CAL（証明書失効リスト）とは、認証局が**デジタル証明書に設定された有効期限よりも前に失効させた証明書のリスト**です。有効期限前の失効措置は、証明書を誤って発行してしまった場合や、秘密鍵を紛失してしまった場合などに対応するためのものです。証明書の有効性は認証局（CA）で常時確認することができます。

■ 認証局のしくみ

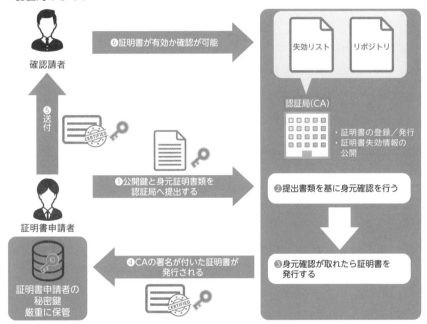

まとめ

- ▸ **PKIは安全な通信を行うためのセキュリティインフラである**
- ▸ **認証局（CA）の主な役割は、デジタル証明書の発行と失効である**
- ▸ **証明書が有効かどうかは、CAL（証明書失効リスト）で確認することがでる**

29 デジタル証明書のしくみ

デジタル証明書とは、主に認証局から発行された、インターネット上での身分証明となるデータセットのことです。ここではデジタル証明書のしくみと種類について解説します。

● メッセージダイジェスト（MD）

　メッセージダイジェスト（MD：message digest）は、**データの整合性を確認**するときに使用します。暗号化されたデータとそのハッシュ値を送り、データの確認者は暗号化されたデータから改めてハッシュ値を出力し、送付されて来たハッシュ値と比較して整合性を確認します。

● メッセージ認証コード（MAC）

　メッセージ認証コード（MAC：Message Authentication Code）は、**データ改ざんの有無を確認**できる短いデータです。MACアルゴリズムに元データと共通鍵を入力してMAC値を出力し、元データとMAC値を送付します。共通鍵を共有するデータの確認者は、自分が持つ共通鍵と届いた元データをMACアルゴリズムに入力し、出力されたMAC値と届いたMAC値を比較します。

■ メッセージダイジェストのしくみ

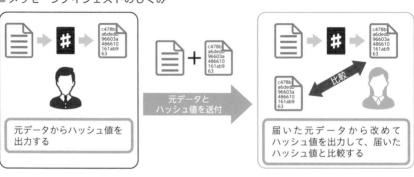

c478b
a6dedb
96603a
486610
161ab9
63

元データと
ハッシュ値を送付

元データからハッシュ値を
出力する

c478b
a6dedb
96603a
486610
161ab9
63

比較

c478b
a6dedb
96603a
486610
161ab9
63

届いた元データから改めて
ハッシュ値を出力して、届いた
ハッシュ値と比較する

■ メッセージ確認コードのしくみ

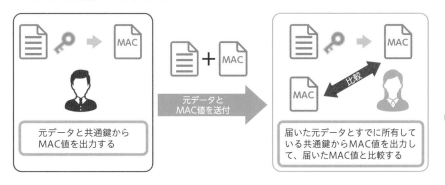

元データと共通鍵から
MAC値を出力する

元データと
MAC値を送付

届いた元データとすでに所有して
いる共通鍵からMAC値を出力し
て、届いたMAC値と比較する

⦿ タイムスタンプ（時刻認証）

タイムスタンプでは、タイムスタンプに刻印された時刻にそのデータが存在していたことを証明する**存在証明**と、それ以降改ざんされていないことを証明する非改ざん証明が行えます。タイムスタンプは**時刻認証局**（TSA:Time-Stamping Authority）が発行します。

■ タイムスタンプのしくみ

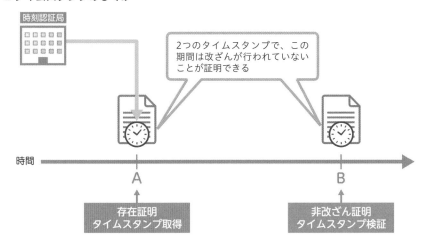

時刻認証局

2つのタイムスタンプで、この
期間は改ざんが行われていない
ことが証明できる

時間

A

B

存在証明
タイムスタンプ取得

非改ざん証明
タイムスタンプ検証

● ルート証明書

ルート証明とはデジタル証明書の1つで、**ルート認証局が自らを証明する証明書**です。この証明書はルート認証局のみが発行できる証明書です。**ルート認証局**とは、厳しい審査を受け、信頼性が高い組織であることが証明されている認証局です。

● SSL／TLSサーバー証明書

SSL／TLSサーバー証明書とは、認証局がサーバーのサイト運営組織が実在していることを証明するものです。これにより、WebブラウザとWebサーバー間でSSL（Secure Socket Layer）／TLS（Transport Layer Security）暗号化通信を行うことができます。なお、SSL／TLSについてはP.219を参照してください。

● クライアント証明書

クライアント証明書とは、**クライアントの身元を保証**するデジタル証明書です。ネットワークやサーバーへの接続を、特定のクライアント（デバイス）に制限する場合に使用されます。あらかじめクライアントに証明書をインストールしておき、そのインストールされたクライアントからのみ接続を可能にすることができます。

まとめ

- ▶ メッセージ認証では、共通鍵を使用してデータ改ざんの有無を確認できる
- ▶ メッセージダイジェストでは、ハッシュ関数を使用してデータの整合性チェックができる
- ▶ タイムスタンプは、そのデータに刻印されたタイムスタンプ（時刻）からデータに変更が加えられていないことを証明する

5章

▼

情報セキュリティの管理

しっかりとした情報セキュリティを確立するには、管理が必要になります。管理を構成する要素とは何か。そもそも管理を行うためにはどんなことを考えて何を基準に進めていけばよいのか。リスクマネジメントの基礎を解説していきます。

30 情報資産と無形資産

ここでは情報資産と無形資産に関連する用語について解説します。情報資産は読んで字のごとく情報やデータを指し、無形資産は目には見えない特許やブランドなどを指します。

● 情報セキュリティポリシー

　情報資産／無形資産を考察するうえで欠くことのできない用語が**情報セキュリティポリシー**です。この言葉は、企業や組織において実施する情報セキュリティ対策の方針や行動指針を意味します。内容は企業の規模によって異なりますが、情報セキュリティポリシーがなければ資産を守る具体的なセキュリティ対策も立てられないため、企業にとって重要な概念となります。情報セキュリティポリシーは、以下の図のように「**基本方針**」「**対策基準**」「**実施手順**」の3つの階層で構成されることが一般的です。

■ 情報セキュリティポリシーの基本方針（総務省指針）

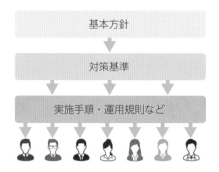

● 組織を構成する要素

　組織を構成する要素とは、端的にいえば、「**人**」「**物**」「**金**」そして「**情報**」です。「人」だけでは何もできないし、「人」と「物」が揃っても「金」がないと、人件

費や固定費を払えません。そして、この情報化社会の中では、「情報」は必須です。この「組織を構成する要素」で資産を守っていくことになります。

■ 組織を構成する要素

⦿ 知的財産

知的財産とは、特許やブランド、ノウハウなどの「**価値のある情報**」のことを指します。この知的財産は知的財産基本法において定義され、知的財産を有する者は一定期間保護されることが定められています。

■ 知的財産の種類

新品種　発明　ブランド　ロゴマーク　文芸
学術　音楽　ソフトウェア　デザイン
……など

まとめ

▶ 知的財産には、「著作物」「発明」「営業秘密」なども含まれる

31 リスクマネジメント

リスクマネジメントとは組織をリスクから回避、低減させる一連の管理プロセスのことを指します。ここではその根幹となるリスクアセスメントとJIS Q 31000について解説します。

● リスクアセスメント

リスクアセスメントとは、どのようなリスクが存在するか特定・分析・評価することを指します。そのために、以下のようなプロセスを実施します。

①許容できる、または、許容できないリスクを認識

②許容できないリスクについて、対策を考案

下図の場合、「リスクA」と「リスクB」は、許容できるリスクの範囲を超えたリスクになるので、対策を考案する必要があります。図中の「高」「中」「低」はリスクレベルを表し、「高」がリスクの高いものになります。

こうしたリスクアセスメントにもとづくプロセスを実施するためには、リスクを発見して**特定するプロセス**が必要になります。次に**リスクの特徴を分析・把握してリスクレベルを決定するプロセス**、さらにはこれらを総合して決められたリスク基準のどのレベルにリスクが該当するのか**評価するプロセス**の3つが必要となります。

■ リスクマネジメントの概要

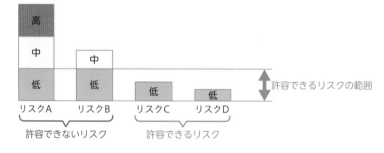

● JIS Q 31000

JIS Q 31000 とは、リスクマネジメントの国際規格であるISO 31000をもとに作成されたリスクマネジメントに関する原則や一般的な指針を示したJIS規格のことを指します。リスクアセスメントの詳細なプロセスを決定していくうえで、このJIS規格が役立ちます。

■ リスクマネジメント規格の変遷　引用元：リスクマネジメント規格 (MS & AD Insurance Group：https://www.ms-ins.com/pdf/business/rm/rmplan.pdf)

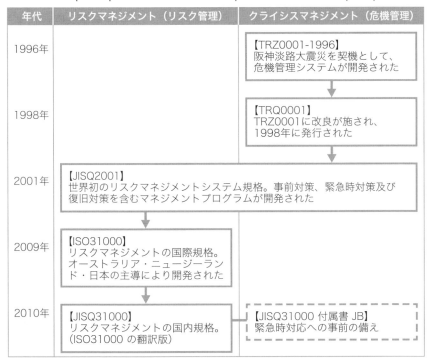

年代	リスクマネジメント（リスク管理）	クライシスマネジメント（危機管理）
1996年		【TRZ0001-1996】 阪神淡路大震災を契機として、危機管理システムが開発された
1998年		【TRQ0001】 TRZ0001に改良が施され、1998年に発行された
2001年	【JISQ2001】 世界初のリスクマネジメントシステム規格。事前対策、緊急時対策及び復旧対策を含むマネジメントプログラムが開発された	
2009年	【ISO31000】 リスクマネジメントの国際規格。オーストラリア・ニュージーランド・日本の主導により開発された	
2010年	【JISQ31000】 リスクマネジメントの国内規格。(ISO31000の翻訳版)	【JISQ31000 付属書 JB】 緊急時対応への事前の備え

まとめ

▷ リスクアセスメントはリスクの許容可否のプロセスであり、組織はJIS Q 31000を参考にリスクアセスメントを構築する

32 情報セキュリティ インシデント

情報セキュリティインシデントとは、情報システムやそれを利用する人・組織を脅かすセキュリティ上の事件や事故、事象のことを指します。単に「インシデント」と呼ぶこともあります。

● 情報セキュリティインシデント

情報セキュリティインシデントは、ここで解説するようにさまざまなものがあり、単体のインシデントであったり、複数のインシデントであることもあります。具体的に見ていきましょう。

• マルウェア感染

マルウェアは、P.032、050で解説しているとおり、コンピューターウイルスを含む、悪意を持ったソフトウェア全般を指す言葉です。感染すると、ファイルが破損したり、端末を不正に操作されたり、情報漏洩したりします。

• 不正アクセス

不正アクセスは言葉のとおり、組織のサーバーやネットワークに不正にアクセスすることです。この不正アクセスという言葉は本書でも随所に登場します。不正アクセスをされると、情報漏洩したり、ほかの端末を攻撃する踏み台にされたりします。

• 情報漏洩

情報漏洩とは、外部に情報が流出してしまうことを指します。情報漏洩が起こると、不特定多数の人が機微な情報（個人情報、技術情報など）を閲覧できてしまいます。情報漏洩は前述したマルウェアや不正アクセスのほか、過失（ノートパソコンの紛失やメールの誤送信）によって起こる場合もあります。

• Webサイト改ざん

Webサイト改ざんとは、標的型攻撃（P.062参照）などでも解説したとおり、Webサイトの脆弱性などを利用してWebサイトを攻撃者の都合のよいように変えてしまうことを指します。Webサイト改ざんが起こると、悪意のあるス

クリプトを埋め込まれるなどして、被害者だけでなく加害者にもなります。

• DoS (DDoS) 攻撃

DoS（Denial of Service：サービス拒否）攻撃やDDoS（Distributed Denial of Service：分散型サービス拒否）攻撃は、サーバーやネットワークに意図的に過剰な負荷をかけることをいいます（P.107、110参照）。たとえば複数のコンピューターでWebサイトに短期間アクセスします。この攻撃を受けると、機能やサービスが正常に利用できなくなります。

• 記憶媒体（パソコン、スマートフォン、USBメモリなど）の紛失

記憶媒体を紛失すると、その媒体に保存されている情報を失ったことになります。もし、悪意のある第3者が記憶媒体を拾うと、さまざまな悪事に悪用される危険性もあります。

■情報セキュリティインシデントの種類

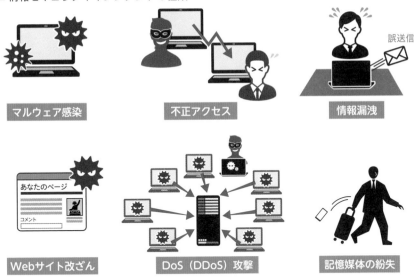

マルウェア感染　　不正アクセス　　情報漏洩　誤送信

Webサイト改ざん　　DoS（DDoS）攻撃　　記憶媒体の紛失

まとめ

▶ 情報セキュリティインシデントは、情報セキュリティ上好ましくない事件や事故、事象のことである

33 情報資産の調査と分類

情報資産については P.016、018 で解説しましたが、この情報資産は調査・分類しておくことで、万が一にリスクが発生した場合、対処がしやすくなります。そのために必要なのが情報資産台帳です。

　情報資産の調査と分類を行うには、いくつかのステップを踏む必要があります。一般にそのステップは以下のようになります。

　①情報資産のリストアップ

　②情報資産のリスクアセスメント

　③情報資産台帳の作成

　④情報資産台帳の更新

　①については、P.146 の「組織を構成する要素」、P.147 の「知的財産」が該当します。これらの解説をもとにリストアップを行い、②の「リスクアセスメント」を行います（P.148参照）。ここで重要となるのが**情報資産台帳**です（③④）。その詳細を見ていきましょう。

● 情報資産台帳

情報資産台帳とは、どのような資産がどこにあって、その管理者、保存先、重要度などを記載した台帳のことを指します。

　情報資産台帳には、①②の結果と併せて以下の項目を記載していきます。

　・業務分類

　・情報資産名称

　・利用者範囲

　・管理部署

　・管理担当者

　・媒体／保存先

　・個人情報の種類

・重要度

・保存期限

・登録日

・廃棄予定日

・廃棄日

・廃棄方法

・廃棄実行者

■ 情報資産台帳の例

情報資産管理台帳						個人情報の種類			評価値					現状から想定されるリスク（入力不要・自動表示）				
業務分類	情報資産名称	備考	利用者範囲	管理部署	媒体・保存先	個人情報	要配慮個人情報	特定個人情報	機密性	完全性	可用性	重要度	登録日	脅威の発生頻度 ※「脅威の状況」シートに入力すると表示	脆弱性 ※「対策状況チェック」シートに入力すると表示	被害発生可能性	リスク値
人事	社員名簿	社員基本情報	人事部	人事部	事務所PC	有			2	0	0	2	2016/7/1	3:通常の状況で脅威が発生する（いつ発生してもおかしくない）	2:部分的に対策を実施している	2:可能性:中	4:リスク大
人事	社員名簿	社員基本情報	人事部	人事部	書類	有			2	2	2	2	2016/7/1	2:特定の状況で脅威が発生する（年に数回程度）	2:部分的に対策を実施している	1:可能性:低	2:リスク中
人事	健康診断の結果	雇入時・定期健康診断票	人事部	人事部	書類		有		2	2	1	2	5年	2016/7/1	2:特定の状況で脅威が発生する（年に数回程度）	2:部分的に対策を実施している	1:可能性:低	2:リスク中
経理	給与システムデータ	税処理・社会保険	給与計算部署	人事部	事務所PC			有	2	2	1	2	7年	2016/7/1	3:通常の状況で脅威が発生する（いつ発生してもおかしくない）	2:部分的に対策を実施している	2:可能性:中	4:リスク大
経理	当社見積書	当社見積書の原本（過去3年分）	総務部	総務部	書類				1	1	1	1	2016/7/1	2:特定の状況で脅威が発生する（年に数回程度）	2:部分的に対策を実施している	1:可能性:低	1:リスク中
経理	発行済請求書控	当社発行の請求書の控え（過去3年分）	総務部	総務部	書類				1	1	1	1	2016/7/1	3:通常の状況で脅威が発生する（いつ発生してもおかしくない）	2:部分的に対策を実施している	2:可能性:中	1:リスク中
共通	電子メールデータ	重要度は適切のため最高度まで評価	担当者	総務部	事務所PC				2	2	2	2	2016/7/1	3:通常の状況で脅威が発生する（いつ発生してもおかしくない）	2:部分的に対策を実施している	2:可能性:中	4:リスク大
共通	電子メールデータ	Gmailに転送	担当者	総務部	社外サーバー	有			2	2	2	2	2016/7/1	3:通常の状況で脅威が発生する（いつ発生してもおかしくない）	2:部分的に対策を実施している	2:可能性:中	2:リスク中
営業	顧客リスト	得意先（直近5年間に実績があるもの）	営業部	営業部	社内サーバー	有			2	2	2	2	2016/7/1	3:通常の状況で脅威が発生する（いつ発生してもおかしくない）	2:部分的に対策を実施している	2:可能性:中	2:リスク中
営業	顧客リスト	得意先（直近5年間に実績があるもの）	営業部	営業部	可搬電子媒体	有			2	1	1	2	2016/7/1	2:特定の状況で脅威が発生する（年に数回程度）	2:部分的に対策を実施している	1:可能性:低	2:リスク中
営業	顧客リスト	得意先（直近5年間に実績があるもの）	営業部	営業部	モバイル機器	有			2	1	1	2	2016/7/1	3:通常の状況で脅威が発生する（いつ発生してもおかしくない）	2:部分的に対策を実施している	2:可能性:中	2:リスク中

　上記の表は、IPA（独立行政法人情報処理推進機構）が公開する（https://www.ipa.go.jp/files/000055518.xlsx）、情報資産管理台帳に含まれる「台帳記入例」を掲載したものです。URLからアクセスするとExcelで作られたこの台帳をダウンロードすることができます。このExcel台帳にはすべて空欄になったページも用意されているので、ダウンロード後すぐに活用することができます。さらには「利用方法」から「脅威の状況シート」「対策状況チェックシート」といったものまであるので、実践的な利用が可能です。

　なお、この情報資産管理台帳の管理は厳重に行う必要があります。

まとめ

▶ 情報資産台帳は資産の状況が変更されるたびに内容を更新して、最新の状態に保っておくことが必要

34 リスクの分析と評価

情報セキュリティ管理において、リスク分析と評価は重要なポイントになります。その際に理解しておきたいのがリスクの種類です。リスクの種類を把握しておくことでそれぞれのリスクに対する対処方法を考えることができます。

● 損失／リスク

損失にはさまざまな種類があり、損失が大きいもの、小さいものに分けることができます。取り返しがつかないレベルの損失については十分に対策を施しておくことが重要ですが、被害が出たとしても十分にリカバーできる損失であると判断した損失については、コストバランスも考えて事前の対策は施さないという判断もあります。

リスクについても同様に大小のリスクが存在します。考え方としては損失の場合と同じです。とくにリスクについてはリスクを一か所に集めず、分散・共有といった概念で管理するといった考え方もあります。

■ 損失の種類

損失種別	概要
財産損失	設備や情報機器の故障や盗難などによる損失のこと
責任損失	賠償責任により発生する損失のこと
純収益の損失	信用失墜などにより、収益が低下して発生する損失のこと
人的損失	役員や従業員などが業務に従事できなくなることに伴う損失のこと

■ リスクの種類

リスク種別	概要
オペレーショナルリスク	内部犯による情報漏洩など、自組織の業務活動に関連するリスクのこと
サプライチェーンリスク	サプライヤーから納入される情報システムなどに、意図しない機能が実装されていたりするリスクのこと

外部サービス利用のリスク	外部サービスを利用した際に起こりうるトラブル発生のリスクのこと
SNS による情報発信のリスク	SNS に不適切な投稿などをして炎上するなどのリスクのこと

● コスト要因／年間予想損失額

コスト要因とは、前述したコストバランスを考えるうえでも重要なポイントとなります。損失額や対策費などのコストを算出しておくことが、さまざまな施策検討材料になります。コストの要因となる事項には、たとえば「作成コスト」「復旧コスト」などが挙げられます。

年間予想損失額とは、1年間で発生する損失する金額のことを指します。コスト要因の考え方と同様、施策を検討していくうえで重要な項目といえます。

● モラルハザード／得点法

モラルハザードとは、リスクを回避したり、低減するために整備した手段やしくみ（例：保険の加入）によって、人の注意が散漫になってインシデントの発生確率が高まってしまうことを指します。これは個人に対することだけではなく、企業・組織の倫理観や道徳観の欠如に対しても使われる言葉で、「社会的な責任を果たしていない」といった場合にも使われます。

得点法とはリスク分析法の一種で、インタビューを行い、得られた回答に点数を付け、その得点を集計してリスクの大小を表す方法のことを指します。前述した損失・リスクに対する施策を定めていくうえで重要な手法といえます。

まとめ

▶ 損失やリスクにはさまざまな種別があるため、インシデントなどの発生前に、事前に種別分けとコスト計算をしておくことが重要

▶ 年間予想損失額を算出しておくと、予算の作成などが容易

35 情報セキュリティリスクアセスメント

ここまで解説してきたとおり、組織はさまざまな情報資産を保有しています。その情報資産についてリスクを減らすための一連のプロセスとなるのが、この情報セキュリティリスクアセスメントです。

● リスク基準／リスクレベル

リスク基準とは、リスクの重要度を測定するための判断指標のことを指します。**リスクレベル**とは、結果とその起こりやすさの組み合わせとして表現される、リスクの大きさのことを指します。この情報セキュリティリスクアセスメントの中核となるプロセスといってよいでしょう。この2つに関しては、P.154のリスクの種類でも触れた内容を具体化したものになります。いずれも重視されるのは客観性で、第三者視点で取り組むことで活用可能な指標になります。

● リスクマトリックス

リスクマトリックスとは、縦軸を「発生確率」、横軸を「影響度」として、リスク分析に活用されるマトリックスのことを指します。前述したリスク基準とリスクレベルが視覚化されることで、関係性や全体像が把握しやすくなります。マトリックスは「n×n」で表示されます（nは数字）。下図では、「2×2」の場合と「3×3」の場合を示しています。

■ リスクマトリックスの例

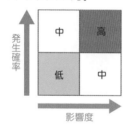
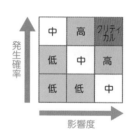

● 定性的リスク分析／定量的リスク分析

定性的リスク分析はリスクの発生確率と影響度を評価し、この2つの評価の組み合わせによって、リスクの順位付けを行うというものです。具体的には**発生確率・影響度マトリックス**が使われます。これは各リスクの発生確率と影響度を定性的な言葉で表化して、そのマトリックス上にリスクを分類する方法です。

一方で**定量的リスク分析**といった分析法も存在します。この定量的リスク分析では、特定したリスクがプロジェクト目標の全体に与える影響を数量で評価します。リスクを数値で表すというのがこの分析法の特徴になります。

■ 発生確率・影響度マトリックスの一例

発生確率 ＼ 影響度	最低 リスクレベル1	低 リスクレベル2	中 リスクレベル3	高 リスクレベル4	最高 リスクレベル5
最低	リスクレベル1					
低	リスクレベル2					
中	リスクレベル3					
高	リスクレベル4				リスクが高い	
最高	リスクレベル5					25

● リスク忌避／リスク選好

情報セキュリティリスクアセスメントでよく登場する用語に**リスク忌避**と**リスク選好**があります。前者はリスクを避ける態度のことを指し、後者は組織に追求するまたは保有する意思があるリスクの量および種類のことを指します。

まとめ

▷ 情報セキュリティリスクアセスメントを実施するには、事前に「リスク基準」「リスクレベル」「リスクマトリックス」などを実施しておく必要がある

▷ リスク分析には、定性的リスク分析と定量的リスク分析がある

36 リスクコントロール

情報セキュリティリスクアセスメントによって明らかになったリスクに対して、これらのリスクがインシデントとなった場合、その大きさを低減させる方法がリスクコントロールです。

● 事業継続計画

事業継続計画は**BCP**（Business Continuity Plan）と呼ばれることも多く、災害などの緊急事態が発生したときに、企業が損害を最小限に抑え、事業の継続や復旧を図るための計画のことを指します。計画を作成する具体的なステップとしては、ここまで本章で見てきた内容にそって、資産の把握から始まり、情報セキュリティリスクアセスメントまでのプロセスを実行し、実現可能な具体策を講じることでステップが完了します。

近年、BCP対策としてデータをクラウドに分散保管する方法が注目されていますが、リスクと向き合う中で絶対という言葉はありません。社会状況やビジネス内容の変化に合わせてBCP策定内容も定期的に見直していく必要があります。

● リスク対応

リスクが明確になった段階で、対処方法を決定する必要があります。対処方法は大きく以下の4つが挙げられます。

- **リスクヘッジ（低減）**
  リスクヘッジとは事前に発生しそうなリスクを予測し、そのリスクが顕在化した際の被害を回避したり、損失を軽減したりすることを指します。
- **リスク保有**
  リスク保有とはリスクを低減するためのセキュリティ対策を行わず、リスクを受容することを指します。

- **リスク回避**

  リスク回避とはリスクが発生しそうな状況を回避することを指します。

- **リスク移転**

  リスク移転とは**サイバー保険**などの加入により、リスクを移転することを指します。サイバー保険とは、サイバー攻撃などの不正アクセスによる「個人情報の流出」や「業務妨害」などに備えるための保険のことを指します。こうした経済的損失を補填する手法を総じて**リスクファイナンシング**といいます。

■ リスクの対応イメージ

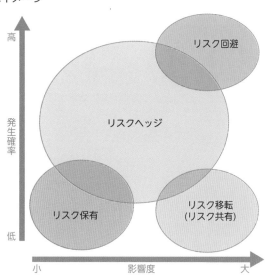

● リスク対応計画／リスク登録簿／リスクコミュニケーション

　リスク対応計画とは、リスクを低減するための対策を実施する、計画を立てるプロセスのことを指します。そのために必要となるのが**リスク登録簿**です。リスク登録簿とは、洗い出したリスク（具体的な事象、根本原因、リスク区分など）を記載したものを指します。こうしたプロセスを実行していく中で、リスクにおける利害関係者間で情報共有を行う活動が欠かせません。これを**リスクコミュニケーション**といいます。

● リスク集約／残留リスク

　リスクコントロールを推し進めていく中で欠かせない概念として、**リスク集約**と**残留リスク**があります。前者のリスク集約とは、複数のリスクを組み合わせてリスクを扱いやすい単位にまとめることを指します。後者の残留リスクとは、リスク対応をした結果、残ったリスクまたは放置したリスクのことを指します。これは前ページの図で示したリスク保有にも該当するものです。残留リスクは対策を行わないため、経営的な判断が必要になります。つまり経営層が許容できるリスクであると承認しなければなりません。

まとめ

- ▶ リスクコントロールを実施するには、事前に事業継続計画やリスクの現状を把握し、リスクの受容レベルなどを確認しておくことが必要になる
- ▶ リスクの対応はリスク対応計画などにそって進めるが、対策を行わない残留リスクも存在する

37 情報セキュリティ
マネジメントシステム

情報セキュリティマネジメントシステム（ISMS：Information Security Management System）とは、組織における情報資産のセキュリティを管理するための枠組みを指します。

● ISMS ／ JIS Q 27001 ／情報セキュリティガバナンス

ISMSは情報資産のセキュリティを管理するための枠組みですが、組織がその枠組みを確立し、実施・維持して継続的に改善していくことを**情報セキュリティマネジメント**と呼びます。枠組みには指標となる事項が欠かせません。その事項を規定したものが**JIS Q 27001**です。これは要求事項を提供することを目的として作成されたJIS規格になります。

ISMSを実行していく組織にはさまざまなものが求められます。たとえば**情報セキュリティガバナンス**もその1つです。情報セキュリティガバナンスとは、社会的責任にも配慮したコーポレート・ガバナンスとそれを支えるメカニズムである内部統制のしくみを、情報セキュリティの観点から企業内に構築・運用することを指します。また、次ページで紹介するPDCAも情報セキュリティマネジメントを進めていくうえで重要な手法となります。

■ ISMSとJIS Q 27001の概要

名称	概要
ISMS	Information Security Management System の略称。情報セキュリティマネジメントシステムとして、企業における総合的な情報セキュリティを確保するために考えられた枠組みで、JIS Q 27001 の要求事項をベースに作られる
JIS Q 27001	ISMSの要求事項を定めた規格。組織がISMSを確立し、実施・維持して継続的に改善していくための要求事項を提供することを目的として作られている

⭕ PDCA

PDCA とは「Plan」「Do」「Check」「Act」の頭文字で、組織の重要な情報資産のセキュリティ維持を目指すサイクルのことを指します。

- **Plan（計画）**

  基本方針（ポリシー）策定や手順を確立します。まさに計画を立てるのがこのステップです。

- **Do（実施）**

  基本方針（ポリシー）や手順の導入および運用を行います。

- **Check（評価）**

  内部監査や見直しを行います。Planどおりの結果を生まなかった場合は、その原因を定量的に分析します。

- **Act（改善）**

  評価にもとづく改善を行います。

■ PDCAのイメージ

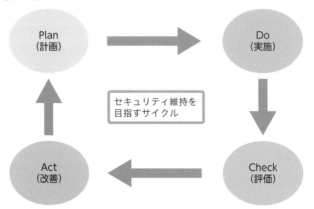

まとめ

▷ 情報セキュリティをマネジメントするには、ISMS／JIS Q 27001 を継続的に遵守していくことが必要で、そのためには PDCA サイクルを回していくことが望ましい

38 セキュリティの評価

セキュリティの評価は、一定のセキュリティ基準にしたがって下されます。ここではその評価基準や評価の方法について解説します。評価の方法には広く知られた脆弱性診断とペネトレーションテストがあります。

● PCI DSS

PCI DSSとはPayment Card Industry Data Security Standardの略称で、「ピーシーアイ ディーエスエス」と読みます。加盟店やサービスプロバイダーにおいて、クレジットカード情報を安全に取り扱う事を目的として策定された、クレジットカード業界の国際セキュリティ基準のことを指します。

● CVSS

CVSSとはCommon Vulnerability Scoring System（共通脆弱性評価システム）の略称で、「シーブイエスエス」と読みます。ソフトウェアや情報システムに発見された脆弱性の深刻度を、3種類の指標（基本評価基準、現状評価基準、環境評価基準）を用いて定量的に評価する手法のことを指します。

- **基本評価基準（Base Metrics）**
  脆弱性そのものの特性を評価する基準です。ネットワークから攻撃可能かどうかといった基準で評価し、CVSS基本値（Base Score）を算出します。
- **現状評価基準（Temporal Metrics）**
  脆弱性の現在の深刻度を評価する基準です。攻撃コードの出現有無や対策情報が利用可能であるかといった基準で評価し、CVSS現状値（Temporal Score）を算出します。
- **環境評価基準（Environmental Metrics）**
  製品利用者の利用環境も含め、最終的な脆弱性の深刻度を評価する基準です。

攻撃を受けた場合の二次的な被害の大きさや、組織での対象製品の使用状況といった基準で評価し、CVSS環境値（Environmental Score）を算出します。

現在、CVSSのバージョン「2」とバージョン「3」が並行運用されていますので、注意する必要があります。

■ CVSSのバージョンの違い

深刻度	CVSS スコア (v2)
レベル III（危険）	7.0〜10.0
レベル II（警告）	4.0〜6.9
レベル I（注意）	0.0〜3.9

深刻度	CVSS スコア (v3)
緊急	9.0〜10.0
重要	7.0〜8.9
警告	4.0〜6.9
注意	0.1〜3.9
なし	0

● 脆弱性診断／ペネトレーションテスト

脆弱性診断とは、システムやネットワークなどを調査し、脆弱性（欠陥・不具合、設定ミスなど）の有無を確認するテストのことを指します。

ペネトレーションテストとは、システムやネットワークなどに、攻撃者視点で実際に侵入可能かを調査するテストのことを指します。ペネトレーションテストは、セキュリティインシデントを恐れる企業が、ペネトレーションを専門に行う業者へテストを依頼します。業者は実際に依頼企業のシステムやアプリケーションなどに侵入を試みます。

まとめ

- ▶ 既存システムに対して、定期的に脆弱性診断やペネトレーションテストを実施することで、インシデントの発生確率を低減できる
- ▶ 新たに発見される脆弱性には、CVSSスコアを確認して対処の優先度を決める

39 セキュリティ規定と関連機関

ここでは本章のまとめの意味で、あらためてセキュリティ規定に関する大事な2つの用語と、セキュリティにおいて重要な役割を果たす関連機関について解説します。企業のセキュリティ対策は、これらの機関によって支えられています。

● 情報セキュリティポリシー／プライバシーポリシー

情報セキュリティポリシーはP.146でも解説したとおり、企業や組織において実施する情報セキュリティ対策の方針や行動指針のことを指し、情報セキュリティマネジメント（P.161）を進めていくうえでも欠くことのできない指針です。一方、**プライバシーポリシー**とは、企業や組織が自社や自組織における個人情報の利用目的や管理方法を文章にまとめて公表したものを指します。この2つはよく企業のWebページなどで見られます。情報セキュリティポリシーはサイバー攻撃や情報漏えいといったリスクから組織を守るためのものですが、公表することで信頼性を得るという効果もあります。

● CSIRT ／ JPCERT/CC

CSIRTとはComputer Security Incident Response Teamの略称で、「シーサート」と読みます。セキュリティインシデント発生の有無を監視し、発生時には調査や対応を行う組織のことを指します。

JPCERT/CCとはJaPan Computer Emergency Response Team Coordination Centerの略称で、「ジェーピーサート/シーシー」と読みます。コンピューターセキュリティに関連する事象の情報を収集し、インシデント対応の支援、コンピューターセキュリティ関連情報の発信などを行う一般社団法人のことを指します。

CSIRTは1988年にアメリカで誕生し、いわば日本版CSIRTとして1996年に日本で生まれたのがJPCERT/CCです。

● NISC／SOC／JVN

NISCとはNational center of Incident readiness and Strategy for Cybersecurity（内閣サイバーセキュリティセンター）の略称で、「ニスク」と読みます。日本政府の内閣官房に設置された、国の機関における情報セキュリティを所管する組織のことを指します。

SOCとはSecurity Operation Centerの略称で、「ソック」と読みます。企業や組織において、24時間365日体制で、情報システムへの脅威の監視や分析などを行う専門組織のことを指します。

JVNとはJapan Vulnerability Notesの略称で、「ジェイブイエヌ」と読みます。日本で使用されているソフトウェアなどの脆弱性関連情報とその対策情報を提供するポータルサイトのことを指します。

■ JVNのホームページ（https://jvn.jp/）

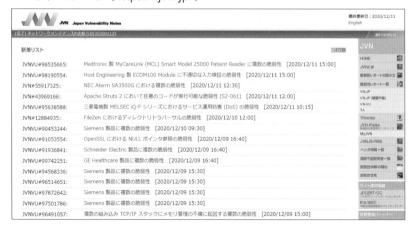

まとめ

▶ **企業や組織が情報セキュリティ対策を実施するには、情報セキュリティポリシーを鑑みながら、常時、第三者機関であるNISCやJPCERT/CCなどからセキュリティ情報を収集し、活用してくことが望ましい**

6章

情報セキュリティ対策の基礎知識

この章では各種ある情報セキュリティ対策について解説します。それはガイドラインであったり、物理的セキュリティ、論理的セキュリティも含まれます。それらの概要や技術的な観点も踏まえて解説していきます。

40 内部不正防止ガイドライン

人間は必ずミスを犯したり、意図せぬ過ちを犯したりするものです。ITセキュリティ上に起こりうる内部不正を防止するには、社内教育はもとより、管理のしくみをガイドラインや法令、ツールなどで作っておくことが重要です。

● 情報セキュリティ啓発

　情報セキュリティへの意識には個人差があります。そのため、情報セキュリティ向上の啓発を行うことで意識が高まり、今まで気付いていなかったセキュリティの弱点に自然と意識するようになります。また、**社内教育を実施**して、情報の無断持ち出しが不正行為であること、ルール違反すると社内規定で罰せられることを認識させることも必要です。

● パスワード管理

　現在、多くのシステムの認証機能には、パスワード認証が利用されています。しかし、パスワードは完全なセキュリティ対策ではありません。推測されやすいパスワード使用していると、パスワード総当たり攻撃によってパスワード認証を突破されたりします。また、**パスワードの使い回し**をしていると、別のシステムで漏洩したパスワードを悪用されて、システムに侵入されたりします。パソコンを共有している場合は、パスワードを付箋紙などに記載し、ディスプレイなどに貼っているケースも見受けられます。

　そこでパスワードの管理には、**パスワード マネージメントソフトウェア**の利用をお勧めします。ただし、ソフトウェアなので、定期的な更新が必要です。ちなみに近年では、クラウドが浸透することで環境基盤も複雑化する傾向もあり、こうしたパスワードのマネジメントには一元管理できるものが求められているようです。

● 利用者アクセスの管理

　利用者アカウント作成のプロセス、とくに必要最小限の権限を付与しているかに留意する必要があります。また、退職などによる利用者アカウントの削除、または無効化も徹底する必要があります。

　見落としがちになるのが「共有アカウント」と「開発用アカウント」です。共有アカウントの場合は、不特定の人がパスワードを知っており、パスワード変更も行われない場合が多いです。開発用アカウントはシステム開発や導入のため、一時的に作成して役割を終えれば削除するはずなのですが、今後起こるかもしれないトラブルのために、開発用アカウントを削除せずにそのまま残している場合があります。加えて、「共有アカウント」や「開発用アカウント」は不特定多数の人が利用するため、覚えやすく推測しやすいパスワードが使われる傾向にあります。

　そこで利用者アクセスの管理には、定期的なアカウントの**棚卸し**が必要になります。なお、一般にいわれるところの棚卸しには、IT資産管理（ITAM：IT Asset Management）のソフトウェア、システムが利用されます。アカウントの管理だけでなく、ライセンスや使用マシンの管理など、その機能は多岐にわたります。誰がどのような条件でどのようなマシンを使っているかなど、セキュリティ管理と直結する部分もあるので、組織にとって棚卸しの実行は大切なミッションとなっています。

● ログ管理

　ハッキングされたとか、マルウェアに感染したとかなどのインシデントが発生した場合、調査にログが必要です。基本的にログは古いレコードから上書きされてしまう傾向にあります。そのため、**定期的にログを保存（エクスポートなど）**する必要があります。しかもログは法令やガイドラインにより、保存期間が異なります。ログを集中管理したい場合は、専用のSyslog（System Logging Protocol）サーバーや、SIEM（Security Information and Event Management：セキュリティ情報イベント管理）ツールなどの導入をお勧めします。

■ 保存期間から見た法令およびガイドライン

保存期間	法令・ガイドラインなど
1か月間	刑事訴訟法 第百九十七条 3「通信履歴の電磁的記録のうち必要なものを特定し、三十日を超えない期間を定めて、これを消去しないよう、書面で求めることができる。」
3か月間	サイバー犯罪に関する条約 第十六条 2「必要な期間（九十日を限度とする。）、当該コンピューター・データの完全性を保全しおよび維持することを当該者に義務付けるため、必要な立法その他の措置をとる。」
1年間	PCI DSS監査証跡の履歴を少なくとも1年間保持する。少なくとも3か月はすぐに分析できる状態にしておく
	NISC「平成23年度政府機関における情報システムのログ取得・管理の在り方の検討に係る調査報告書」政府機関においてログは1年間以上保存
	SANS「Successful SIEM and Log Management Strategies for Audit and Compliance」1年間のイベントを保持することができれば概ねコンプライアンス規制に適合する

企業における情報システムのログ管理に関する実態調査（64ページ）表4-2：ログ保存期間の目安
https://www.ipa.go.jp/files/000052999.pdf

保存期間	法令・ガイドラインなど
3年間	欧州連合（EU）のデータ保護法
	不正アクセス禁止法違反の時効 脅迫罪の時効
5年間	内部統制関連文書、有価証券報告書とその付属文書の保存期間に合わせる
	電子計算機損壊など業務妨害罪の時効
7年間	電子計算機使用詐欺罪の時効
	詐欺罪の時効
	窃盗罪の時効
10年間	『不当利得返還請求』など民法上の請求権期限、および総勘定元帳の保管期限：商法36条。（取引中・満期・解約などの記録も同じ扱い）銀行の監視カメラ、取引伝票に適用している例あり

● 監視

　システムにおいては、システム障害、リソースの確認、セキュリティインシデントなどさまざまな**監視**が必要です。システムの重要度により、24時間／365日 有人監視が求められることもあります。リソース（人、コスト）上、この有人監視が難しいようであれば、モニタリングツールを導入します。事前に設定した閾値（たとえば、CPU使用率90%）を超えた場合やマルウェアを検知した場合、アカウントが管理者権限に昇格した場合などには、管理者にメール通知するなどの設定をしておくとよいでしょう。

● DLP

　DLP（Data Loss Prevention）は、事前に「重要」と定義しておいたデータが漏洩しそうになるのを防止する機能です。具体的にはデータを保護したい端末にDLPエージェントをインストールしておき、このエージェントがDLP管理サーバーと通信し、情報漏洩が起こりそうな場合、管理者などに通知します。

■ DLPの管理イメージ

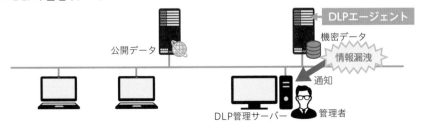

公開データ
DLPエージェント
機密データ
情報漏洩
通知
DLP管理サーバー
管理者

✏ まとめ

▷ **内部不正を防止するには、社内教育を実施し、ルール違反をすると罰則があることを周知する**

▷ **内部不正が起こることを想定して、監視とログ保存をツールやシステムなどを利用して徹底する**

41 入口対策と出口対策

入口対策と出口対策。この言葉は聞いたことがあるかもしれません。これはセキュリティを強固なものにしていくために考え出されたしくみ（対策）ですが、今では多層防御でセキュリティ対策を行うことが主流になっています。

● 入口対策

入口対策とは、ファイアウォール、IPS（Intrusion Prevention System）、WAF（Web Application Firewall）などを用いて、**内部に侵入されないようにする対策**です。この対策はITセキュリティの「王道」ですが、悪意のある攻撃をすべて止めることはできません。ファイアウォールの設定ミスを狙ったり、IPSやWAFなどの脆弱性を狙ったりして、侵入してくることがあります。

外部からの攻撃に加え、内部のユーザーが標的型攻撃などを受けて悪意あるサイトに誘導され、マルウェアに感染してしまう。あるいは遠隔操作されてしまうなど、内部ユーザーのアクションがトリガーになって、インシデントが発生する場合もあります。これらのインシデントは、ファイアウォール、IPS、WAFなどでは防ぐことができません。

そこで考え出されたのが、「出口対策」です。

● 出口対策

出口対策とは、次ページのようなシステムや機器を使って、機密情報（データ）などの漏洩を防ぐ対策のことです。この出口対策は、**外部から侵入されてしまった場合や内部犯行者が存在していることを想定した対策**です。事前に出口対策をしておくことで、被害を最小限にとどめておいたり、防止できたりします。

出口対策の方法	概要
DLP (Data Loss Prevention)	情報漏洩の危険性を検知すると管理者に通知するので、未然に防げる場合がある
ログ管理	インシデント調査を行うことができ、リアルタイムでログを監視していれば、攻撃などを未然に防げる場合がある
暗号化	データを暗号化しておけば、たとえデータを盗まれてしまっても、暗号文のままでは読解不能な文字列なので、問題となる可能性は低い
デバイスコントロール	USBメモリ、DVDドライブなどのデバイスをコントロールすることで、情報漏洩を防ぐことができる

■ 入口対策と出口対策

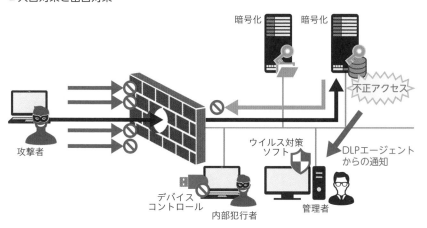

● 多層防御

　1つのセキュリティデバイス（セキュリティソフトウェア）では、年々高度・多様化しているサイバー攻撃を防ぐことは難しくなってきています。

　インターネットセキュリティの初期は、ファイアウォールだけで十分な防御が可能でした。しかし、その後コンピューターウイルスが流行しました。コンピューターウイルスはファイアウォールでは防ぐことができません。そこで、

端末ごとに、ウイルス対策ソフトが導入されました。それから、内部犯行者がUSBメモリを用いて、機密情報を盗み出すというインシデントなどが発生するようになりました。それを封じるために、デバイスコントール、データ暗号化などの機能が実装されるようになりました。

ほかには、IPS（Intrusion Prevention System）、IDS（Intrusion Detection System）、URLフィルタリング、サンドボックス、SIEM（Security Information and Event Management）などがあります。これらのデバイス（ソフトウェア）も多層防御の1つとして、組み込むことができます。

攻撃者からすると、**多層防御**の層が多ければ多いほど侵入しづらいことになります。つまり、多層であればあるほど防御力が高く、攻撃者が攻撃を止める確率が高くなります。

下図は多層防御の構成例です。

■ **多層防御の構成例**

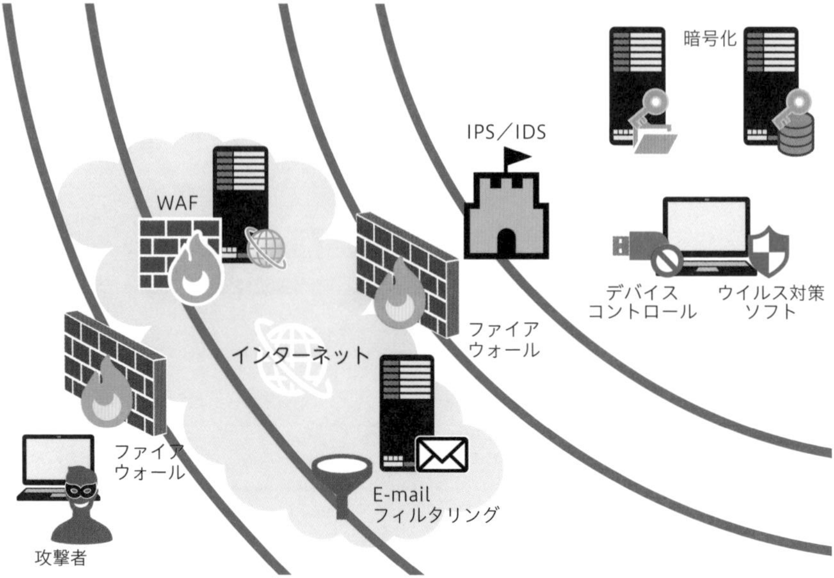

図を見るとわかるとおり、多層防御には大きく2つのレイヤーがあります。まず、インターネットと企業内の2つのネットワークの間にある**境界レイヤー**

174

です。ここにはファイアウォールやWAF、E-mailフィルタリングなどのゲートウェイセキュリティが配置されます。企業内部はIPS／IDSなどによる侵入検知・防止などが施され、これは**内部ネットワークレイヤー**となります。内部ネットワークレイヤーでは、さらに細かくマルウェア対策やデータの暗号化が施される**エンドポイントレイヤー**があります。このようにレイヤーごとに対策を施していくのが多層防御の考え方です。

● UTM

　左ページの図のように複数の機器を設置して管理するとなると大変です。そこで生まれたのが、**UTM**（Unified Threat Management）という、統合脅威管理と呼ばれる機器です（P.210参照）。この機器を導入することで、さまざまな異なるセキュリティ機能を1つのハードウェアで運用することができます。効率よく管理ができる一方で、UTMだけに頼ってしまうとUTMが破損した場合、多大な被害を被ることになります。ほかの機器も併用することで強固な多層防御を築くことができます。

まとめ

▷ 入口対策とは、ファイアウォールなどを用いて内部に侵入されないようにする対策のこと

▷ 出口対策とは、外部に機密情報などが漏洩しないように防止する対策のこと

▷ 多層防御とは、セキュリティデバイス（ソフトウェア）を多層に導入して、外部からの攻撃者や内部犯行者のサイバー攻撃を防ぐ方法のこと

42 マルウェア／不正プログラム対策

コンピューターはマルウェアや不正プログラムをどのように検知するのでしょうか。ここでは検知の方法を紹介しますが、今日では1つの方法だけでなく、いくつか併用することで検知能力を上げているのが実際のところです。

● パターンマッチング

　ウイルス対策ソフトのベンダーが作成する**ウイルス定義ファイル**（「パターンファイル」とも呼ばれる）には、ウイルスの特徴が保存されています。**パターンマッチング**ではその**ウイルス定義ファイルと疑いのあるファイルを比較**し、特徴が一致すればそのファイルはウイルスであると判断します。そのため、ウイルス検出の誤検知率は低いのですが、最新のウイルスを検知できない場合があります。なぜならウイルスは1日平均で5万個以上作成されているからです。その早さにウイルス定義ファイルが追随していくのは至難の技です。以上のことから、パターンマッチングでは、最新ウイルスを検知できない可能性があります。

■ パターンマッチングのしくみ

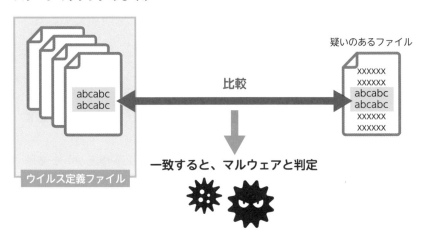

● ヒューリスティック

コンピューターウイルスは、人に感染するインフルエンザウイルスなどとは違ってコンピュータープログラムの塊です。

ヒューリスティックでは疑いのあるファイルのプログラムを**静的解析**して、ウイルスなのかどうかを判断しています。ここでいう静的解析とはウイルス検体の解析を詳細に解析するものではなく、簡易的なものです。パターンマッチングでは検出が難しい最新のウイルスも検知できる可能性がある反面、簡易なだけにウイルス検出の誤検知率が高くなってしまう傾向にあります。ただ、最近のウイルス対策ソフトは誤検知しないような工夫がされています。

■ヒューリスティックのしくみ

疑いのあるファイル

プログラム内部を静的解析

**プログラムの動作を予測し、
マルウェアと判定**

● ビヘイビア

ビヘイビアは日本語で「振る舞い」と訳されており、文字どおり疑いあるファイルの振る舞いを**動的解析**して、ウイルスかどうかを判断しています。ウイルスの疑いのあるファイルの振る舞いを見るのは、危険だと感じる方もいると思いますが、ウイルス対策ソフトがウイルスと判断した直後にその振る舞いを止めるのと同様、即座にプロセスをキル（Kill）するので心配ありません。

ただ、この方法ではウイルス感染を完全に防ぐことは難しいので、**サンドボックス**と呼ばれる手法もあります。このサンドボックスも大義ではビヘイビアの一種類になります。サンドボックスでは、実環境とは異なる仮想環境上という

「閉鎖された空間」で疑いあるファイルの振る舞いを解析します。そのため、たとえウイルスが感染を試みても仮想環境上でしか影響がないので、実環境がウイルス感染する可能性は非常に低いです。

■ ビヘイビアのしくみ

疑いのあるファイルを実行

ファイルやネットワークアクセスなどを、動的解析し、マルウェアと判定

■ サンドボックスのしくみ

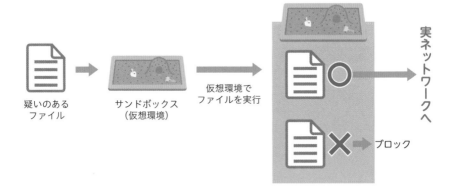

疑いのあるファイル

サンドボックス（仮想環境）

仮想環境でファイルを実行

実ネットワークへ

ブロック

3種類の検知手法をまとめると、下記のようになります。

■ それぞれの特徴

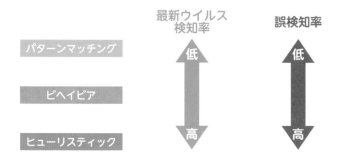

ここでは3種類の検知手法を紹介しましたが、**AI（人工知能）** を活用した検知も今日では活用されています。パターンマッチングでは最新のウイルスを検知できない可能性があると述べましたが、AIによってその弱点を補うことが可能です。具体的には、サイバー攻撃に関する過去・現在の大量の情報をAIによって分析することで、未知のウイルスに対してもいち早い検知と対処ができるようになるのです。

以上、ここまで紹介した手法は単独で利用するというよりも、たとえばAIとパターンマッチングを併用したり、パターンマッチングとヒューリスティックを併用したりといった具合に、組み合わせて利用するかたちが一般的です。

まとめ

▣ **パターンマッチングでは、ウイルス定義ファイルと比較して判定する**

▣ **ヒューリスティックでは、プログラム（ファイル）を静的に解析を行って判定する**

▣ **ビヘイビアでは、プログラム（ファイル）を動的に解析を行って判定する**

43 ファイアウォール

外部からの不正な侵入を防ぐ代表的なシステムがファイアウォールです。ファイアウォールが安全な通信だけを許可するしくみは、どのようになっているのでしょうか。その詳細をパケットフィルタリングの観点から見ていきます。

● ファイアウォール／パケットフィルタリング

　これまでファイアウォールという言葉を頻繁に使ってきましたが、そもそもファイアウォールとは何なのでしょうか。ファイアウォールとは外部インターネットと内部ネットワークの境界に設けられた防火壁であり、侵入してくる不正なアクセスを防御するシステムのことを指します。一般的なファイアウォールは、送られてくるパケットの情報から接続を許可するかどうかを判断します。この機能をパケットフィルタリングと呼び、ファイアウォールのパケットフィルタリングの種別としては、「スタティックパケットフィルタリング」「ダイナミックパケットフィルタリング」「ステートフルパケットフィルタリング」の3つがあります。

● スタティックパケットフィルタリング

　スタティックパケットフィルタリングでは、ネットワークパケットのIPヘッダとTCP／UDPヘッダを検査します。

　ACL（Access Control Lists）には、ファイアウォール通過を許可するネットワークパケットの条件と許可しない条件を定義しておきます。ACLで静的（スタティック）フィルタリングを行うシンプルなしくみのため、ほかのフィルタリング方法より、高速にフィルタリング処理を行うことができます。

　その反面、ネットワークパケットを偽装されると、その偽装された悪意のあるネットワークパケットがファイアウォールを通過してしまうという弊害もあります。

■ファイアウォールに設定されているACL（Access Control Lists）

target	prot	src	dest	state
accept	tcp	anywhere	192.168.10.10	tcp dpt:ssh
accept	all	anywhere	anywhere	state RELATED, ESTABLISHED
drop	tcp	anywhere	anywhere	tcp flags:FIN,SYN,RST,PSH,ACK

ネットワークパケットとACLを比較

検査項目

IPヘッダ	送信元IPアドレス	宛先IPアドレス
TCPヘッダ	送信元ポート番号	宛先ポート番号

● ダイナミックパケットフィルタリング

ダイナミックパケットフィルタリングでは、必要なときだけ、必要なポート
を動的（ダイナミック）に開閉します。

ここでFTP通信の例を示します。FTPサーバーとデータ通信を行う際には
TCP1024番から65535番までの任意のポート番号が使用されますが、常時
1024番から65535番のポートを開放しておくのはセキュリティリスクが高い
ので、必要なポートだけ動的に開閉します。そうしておくことで攻撃者からの
サイバー攻撃のリスクを低減できます。

■常時、1024〜65535番ポートを開放している場合

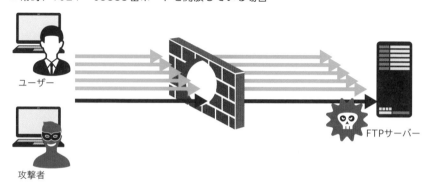

■ 動的に必要なポートのみを開閉している場合

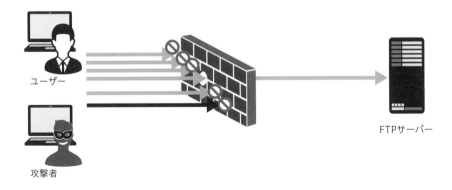

ユーザー

攻撃者

FTPサーバー

◉ ステートフルパケットインスペクションフィルタリング

ステートフルパケットインスペクションフィルタリングでは、事前に保存しておいた「状態テーブル（State Table）」（例: 送信元IPアドレス、送信元ポート番号、宛先IPアドレス、宛先ポート番号、TCPシーケンス番号など）を確認し、ネットワークパケットを通過させてよいか否かを判断してフィルタリング処理を行います。その結果、フィルタリング処理にはある程度のリソース（ハードウェア／ソフトウェア）を消費します。このことから、DDoS（Distributed Denial of Service）攻撃などを受けて、大量のネットワークパケットを受信してしまうと、ファイアウォールがネットワークパケットを処理できないということも想定されます。そのため、大量のネットワークパケットを処理するには、相応のハードウェアリソースが必要になります。

■ ファイアウォールで、保持している状態テーブル（State Table）

送信元 IP/ポート番号	宛先 IP/ポート番号	状態	有効期間
192.168.1.1:udp 9876	10.10.1.8:udp 53	Syn-Sent	10
10.10.1.8:tcp 12345	192.168.1.5:tcp 80	Established	22
192.168.1.1:udp 3456	10.10.1.8:udp 53	Established	35

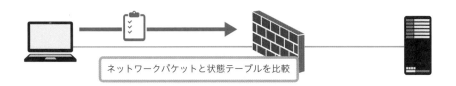

ネットワークパケットと状態テーブルを比較

検査項目

IPヘッダ	送信元IPアドレス	宛先IPアドレス
TCPヘッダ	送信元ポート番号	宛先ポート番号
状態		

3種類のフィルタリング方法をまとめると、下記のようになります。

■ それぞれの特徴

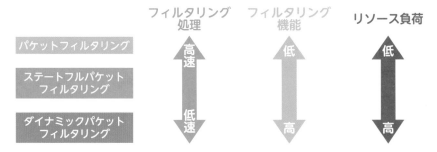

まとめ

▶ パケットフィルタリングでは高速にパケットフィルタリングができるが、単純なアクセス制御しかできない

▶ ダイナミックパケットフィルタリングでは、動的に必要なポートだけを開閉できる

▶ ステートフルパケットフィルタリングでは状態テーブルを保持しているため、不審なネットワークパケットと比較することで遮断しやすいが、フィルタリング処理に負荷がかかる

44 WAF

WAF（Web Application Firewall）とはWebアプリケーションへの攻撃を防御する
ファイアウォールの一種で、ブラックリスト／ホワイトリストという2つの方式に
よってこの機能を実現しています。

● ブラックリスト

　ブラックリスト方式とは、事前に定義した不正な文字列などのパターン（シ
グネチャ）とネットワークパケットを比較し、一致した場合には通信を遮断し
て管理者にアラートを送信します。

　サイバー攻撃は日進月歩なので、攻撃手法も進化していきます。その攻撃パ
ケットに対応するため、シグネチャを更新する必要があります。通常はセキュ
リティベンダーから提供されるので適用すればよいのですが、Webアプリケー
ションの特質上、チューニングが必要になることがあります。そのチューニン
グ次第で、誤検知（False Positive）の件数も変化します。

　メリットは正しい通信を遮断しないことです。逆にデメリットは、疑わしい
通信を遮断しないことです。ブラックリスト方式の性質上、明らかに不正（ブ
ラック判定）な通信は遮断しますが、疑わしい（グレイ判定）通信は遮断しな
い傾向があります。

■ ブラックリスト方式のしくみ

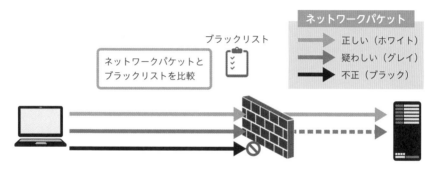

● ホワイトリスト

ホワイトリスト方式とは、事前に定義した正しい文字列などのパターン（シグネチャ）とネットワークパケットを比較し、一致しない場合には通信を遮断して管理者にアラートを送信します。

ホワイトリスト方式では、WAF導入後のチューニングはほぼ不要です。なぜならホワイトリスト方式なので、攻撃パターン（シグネチャ）を利用してパケットフィルタリングしているわけではないからです。ただし、Webアプリケーションを変更した場合はチューニングが必要です。

メリットは不正な通信を遮断できることです。逆にデメリットは、正しい通信であってもホワイトリストに合致しないと、遮断されることです。そのため、WAF導入の事前検証には工数が必要となります。また、Webアプリケーションが変更される場合にもホワイトリストの見直しが必要になるので、運用負荷が高まります。

■ ホワイトリスト方式のしくみ

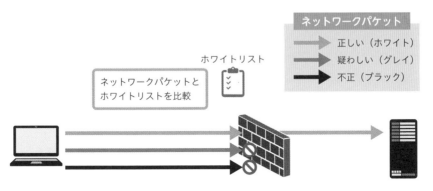

✎ まとめ

▶ **ブラックリスト方式では、正しい通信を遮断しない**

▶ **ホワイトリスト方式では、不正な通信を遮断できる**

45 プロキシサーバー

ネットワークの解説書では、プロキシサーバーという言葉がよく登場してきます。
ここでは「リバースプロキシ」と「フォワードプロキシ」の2つを解説します。本質的
な役割は変わりません。

● フォワードプロキシサーバー

　プロキシとは英語で「Proxy（代理）」と書きます。つまり**プロキシサーバー**は、
クライアントからWebサーバーなどへのリクエストを代理で行うサーバーで
す。正確には**フォワードプロキシサーバー**と呼びますが、通常単に「プロキシ
サーバー」と呼びます。

　プロキシサーバーを利用することで、各クライアントが直接Webサーバー
などにアクセスしないために、接続元のIPアドレスなどの露出を防いだり、
コンテンツの閲覧制御をしたり、キャッシュの共有をしたり、アクセスログを
取得したりなど、さまざまなメリットがあります。

■ フォワードプロキシサーバーのイメージ

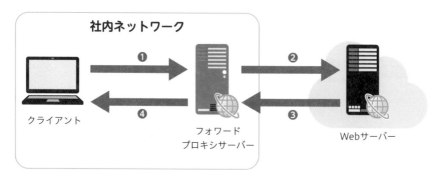

　❶から❹という順番で通信が流れていきます。フォワードプロキシサーバー
はクライアントとセットになるようなかたちで配置されています。

● リバースプロキシサーバー

リバースとは、英語で「Reverse（逆）」と書きます。つまり**リバースプロキ
シサーバー**は、Webサーバーなどへのアクセスを代理で行うサーバーです。
Webサーバーへのアクセスが直接Webサーバーに届かずに、いったんリバー
スプロキシサーバーで受け付けるため、Webサーバーの「盾」のような役目を
果たしたり、負荷を分散したり、キャッシュを共有したりなど、さまざまなメ
リットがあります。

■ リバースプロキシサーバーのイメージ

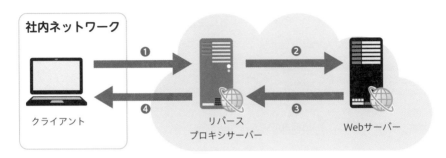

前述したとおり、リバースプロキシサーバーはWebサーバーなどへのアク
セスを代理で行います。左ページとの大きな差はWebサーバーのフロントに
なるようなかたちで配置されていることです。

どちらのプロキシサーバーもセキュリティを高めるという点では違いはあり
ません。組織の規模・環境によって使い分けるのが一般的です。

まとめ

▷ **フォワードプロキシサーバーは、主に社内ネットワーク（クラ
イアント端末）からのWebアクセスを代理で行う**

▷ **リバースプロキシサーバーは、Webサーバーのフロントに設置
してWebサーバーへのアクセスを代理で行う**

46 不正侵入検知システム

ここではIDSについて解説します。IDSの導入方式は2種類（ネットワーク型／ホスト型）あります。検知方式もそれぞれに対して2種類（シグネチャ型／アノマリ型）あります。

● IDS

IDS（Intrusion Detection System）は**不正侵入検知システム**のことを指し、外部からの不正な攻撃や疑わしいアクセスが検知された場合に管理者へ通知します。**ネットワーク型**と**ホスト型**の2種類があります。前者のネットワーク型はネットワークパケットを監視して、不正なものがあれば管理者にアラートを送信したり、ログに出力したりします。

後者のホスト型は監視対象の端末上で動作します。端末のOSが記録するログファイルやサーバ内のファイル改ざんを監視します。もちろんネットワーク型と同様、あらかじめ設定した内容と異なるイベントが検知された場合は管理者へ通知します。ホスト型ではIDSを動かす十分なリソース（CPU、メモリ、HDD／SSD）が必要になります。

両者はIDSの性質上、不正なネットワークパケットの「Detection（検知）」はしますが、遮断はしません。

■ ネットワーク型のイメージ

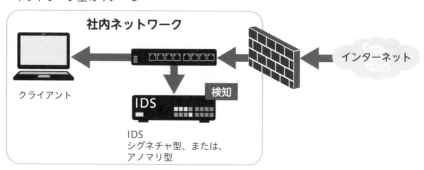

■ ホスト型のイメージ

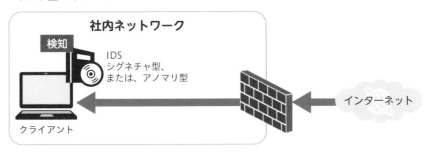

● シグネチャ型／アノマリ型

　2種類ある検知方式のうち、**シグネチャ型**は不正なパターンと比較し、一致したネットワークパケット（データ）を検知します。この方式はウイルス対策ソフトの「パターンマッチング」と同様です。そのため、最新のシグネチャに更新をしておかないと、最新の攻撃を検知できない可能性があります。

　一方の**アノマリ型**は、正常とは異なる振る舞いを検知します。正常の振る舞いはアノマリ型IDSの導入時に学習します。学習を終えた後、実際にアノマリ型IDSを運用します。最近のアノマリ型IDSには、AIや機械学習の機能を有するものもあります。このアノマリ型は、ウイルス対策ソフトのビヘイビアと同様の方式です。そのため、最新の攻撃を検知できる反面、誤検知も少なからず発生する可能性があります。

まとめ

▷ **ネットワーク型はスイッチなどで複製したネットワークパケットを監視する**

▷ **ホスト型は監視対象の端末上で監視する**

47 侵入防止システム

ここではIPSについて解説します。IPSの検知方式は2種類 (ネットワーク型／ホスト型) あります。検知方式もそれぞれに対して2種類 (シグネチャ型／アノマリ型) あります。

● IPS

IPS (Intrusion Prevention System) は**侵入防止システム**のことを指し、ファイアウォールに続いて導入されることが多いシステムです。IDS (P.188参照) とは異なり、インラインに設置されます。また、IDSでは不正なネットワークパケットを検知 (Detection) するのみで、当該パケットをドロップしたり、ブロックしたりしません。しかし、IPSでは不正なネットワークパケットを遮断(ドロップまたはブロック) して、当該パケットが端末などに到達するのを防止 (Prevention) します。つまり、検出後のアクションがまったく異なるのです。ファイアウォールでは検出が難しい脅威もIPSであれば検出できるものもあります。

　検知方法は**ネットワーク型**と**ホスト型**の2種類ありますが、しくみ自体はIDSと同じです。

● シグネチャ型／アノマリ型

　2種類ある検知方式についても、しくみとしてはIDSと変わりません。

　シグネチャ型は、事前に登録済みの不正なパターンと比較し、一致したネットワークパケット (データ) を遮断します。この方式はウイルス対策ソフトのパターンマッチングと同様です。そのため、最新のシグネチャに更新をしておかないと、最新の攻撃を検知できない可能性があります。ここでいう最新の攻撃とは、セキュリティパッチがまだ公開されていない状況下でのゼロデイ (0-Day) 攻撃も含まれます。

一方の**アノマリ型**は、正常とは異なる振る舞いを検知し、当該ネットワークパケットを遮断します。正常の振る舞いは、アノマリ型IPSの導入時に学習します。学習を終えた後、実際にアノマリ型IPSを運用します。

　最近のアノマリ型IPSには、AIや機械学習の機能を有するものもあります。このアノマリ型は、ウイルス対策ソフトのビヘイビアと同様の方式です。そのためゼロデイ（0-Day）攻撃を検知できる可能性もありますが、その反面、誤検知も少なからず発生する可能性があります。そこで誤検知の発生件数を減らすには、IPS導入前の学習が重要になります。もちろん、AIや機械学習機能も併用することをお勧めします。

■ IPS ネットワーク型のイメージ

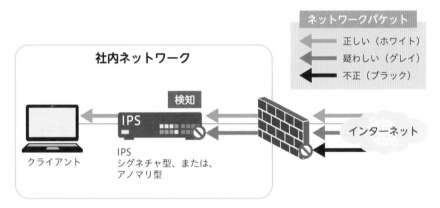

✏️ **まとめ**

▶ **IPSはネットワークパケットを遮断する（IDSは検知する）**

▶ **シグネチャ型は事前に登録済みの不正なパターンと比較し、不正なネットワークパケットを遮断する**

▶ **アノマリ型は正常の振る舞いとは異なる振る舞いを検知し、当該ネットワークパケットを遮断する**

48 DMZ

DMZ（DeMilitarized Zone）は非武装地帯という意味で、大切な情報やサーバーを守るために設けます。外部ネットワークからアクセスを受ける領域を内部ネットワークから切り離すことで、セキュリティを確保します。

● DMZの役割

DMZには外部からアクセスするサーバーを配置します。たとえば、Webサーバー、メールサーバー、DNSサーバーなどが該当します。DMZと社内ネットワークを分離することによって、**セキュリティ境界を作成**できます。外部に公開したい情報（サーバー）はDMZに配置し、それ以外のクライアントなどは社内ネットワークに配置します。

● DMZのしくみ

DMZでは、ファイアウォールによってネットワーク通信を制御します。ファイアウォールに設定するルール（ポリシー）により、ネットワークパケットの通過を許可したり、遮断（ドロップ、ブロック）したりします。つまり、ポリシーはファイアウォールごとに自由に設定でき、以下のようなルールが一般的です。

・外部　→　DMZ（許可）

・DMZ　→　外部（許可）

・社内ネットワーク　→　DMZ（許可）

・社内ネットワーク　→　外部（許可）

・DMZ　→　社内ネットワーク（遮断）

・外部　→　社内ネットワーク（遮断）

デュアルファイアウォール構成では、シングルファイアウォール構成より、強固なルールで不正なネットワークパケットをコントロールできます。

■ シングルファイアウォール構成

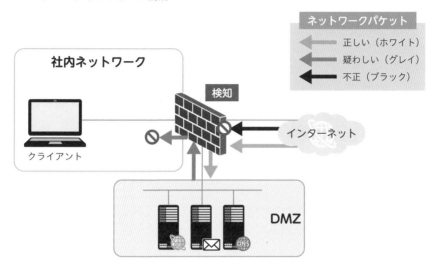

■ デュアルファイアウォール構成

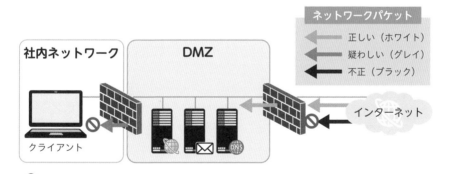

✏️ **まとめ**

▶ **DMZには公開したいサーバーを配置する**

▶ **DMZではファイアウォールにフィルタリングルールを設定する**

▶ **シングルファイアウォールよりもデュアルファイアウォールのほうがセキュリティ上、強固である**

49 ネットワーク認証／フィルタリング

ここでは端末のウイルス感染を防ぐことを目的とした「検疫ネットワーク」「URLフィルタリング」「コンテンツフィルタリング」について解説します。いずれも古くからある対策ですが、今でも活躍しています。

● 検疫ネットワーク

　ノートパソコンなどのモバイル端末が社内ネットワークに接続する際に、ウイルスが社内ネットワークに持ち込まれる危険性などがあります。そこで、まず下記検査を実施してポリシーに合致するかどうかの確認をします。

・OS、アプリケーションのセキュリティパッチが適用されているか

・ウイルス定義ファイルが更新されているか

・マルウェアに感染していないか

・許可していないソフトウェアがインストールされていないか

　など

　検査で問題がなければ、社内ネットワークに接続されます。しかし、問題が見つかった場合は、社内ネットワークと通信できない**検疫ネットワーク**に隔離されて「治療」を受けます。ここでいう治療とは、セキュリティパッチの適用、ウイルス定義ファイルの更新、ウイルスの駆除などです。そして治療完了後に、社内ネットワークに接続されます。

　検疫ネットワークの利用時には、ポリシーの設定が必要なのですが、セキュリティパッチやウイルス定義ファイルのバージョンなどのメンテナンスが必要なので、運用前の事前検証が重要になります。

　以上のように、検疫ネットワークでは「検査」「隔離」「治療」という流れでリスクを回避します。実は検疫ネットワークは、比較的古くからあるウイルス対策です。ただ近年では個人のパソコンを業務で使うことを許可する企業も多く（BYOD：Bring Your Own Device）、個人端末からの社内ウイルス感染などのリスクも高まっていることから、注目されている対策でもあります。

■ 検疫ネットワークのイメージ

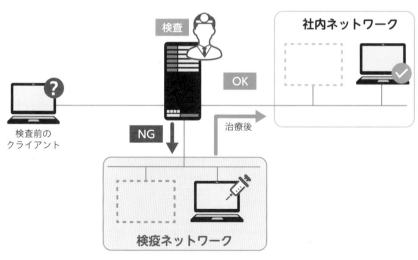

● URLフィルタリング

URLフィルタリングでは、事前に登録したURLへのアクセスを制御します。方式には「ホワイトリスト」「ブラックリスト」「レーティング」の3つがあります。いずれの方式もデータベース化したリスト（フィルタリングリスト）をもとにフィルタリングが行われます。それぞれの特徴を以下に示しますが、実際の運用では併用することも可能です。たとえばレーティング方式に対して、ホワイトリスト方式あるいはブラックリスト方式を取り入れることも可能です。

ホワイトリスト方式では、ホワイトリストに合致したURLへのアクセスのみが許可されます。その反面、弊害もあります。インターネット上のすべての無害なURLをホワイトリストに登録することは困難であり、利便性が損なわれる可能性があります。

ブラックリスト方式では、ブラックリストに合致したURLへのアクセスのみが遮断されます。それ以外は許可され、アクセスできます。そのためホワイトリスト方式とは異なり、利便性が向上します。しかし、有害なサイトにアクセスできる可能性もあるので、ブラックリストを定期的にメンテナンスする必要があります。

レーティング方式では、セキュリティベンダーなどの第三者機関のデータを活用してアクセスを制御します。そのため、自社でフィルタリングリストをメンテナンスする必要がなくなります。その一方で、無害なURLが「有害」と判断されてしまった場合、第三者機関にフィルタリングリストの修正を依頼する必要があります。

■ URLフィルタリングのしくみ

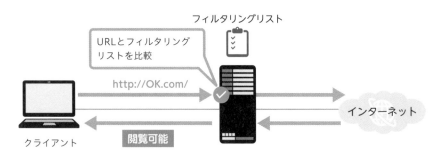

● コンテンツフィルタリング

　コンテンツフィルタリングでは、事前に登録した単語（例：暴力、有害薬物、アダルト）やフレーズを検知し、そのコンテンツを遮断して閲覧できないようにします。文字列でコンテンツを判断するため、画像をフィルタリングできないほか、暗号化された通信では内容を確認できないなどのデメリットがありますが、URLのフィルタリングリストでは対応できない新規Webサイト（URL）に対しても、フィルタリングが行えるというメリットもあります。

■ コンテンツフィルタリングのしくみ

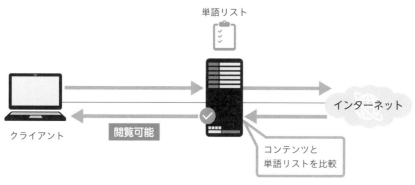

単語リスト

クライアント

閲覧可能

コンテンツと
単語リストを比較

インターネット

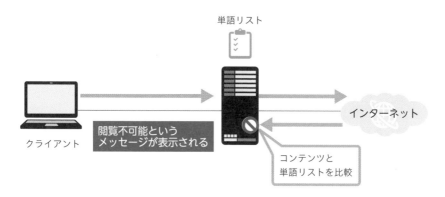

単語リスト

クライアント

閲覧不可能という
メッセージが表示される

コンテンツと
単語リストを比較

インターネット

まとめ

- ▶ 検疫ネットワークは有効な対策ではあるが、導入前の事前検証が必須

- ▶ URL フィルタリングは、アクセスする URL ごとにアクセス制御を行うことができる

- ▶ コンテンツフィルタリングは、表示される Web コンテンツを検査することでアクセス制御が可能となる

50 | 無線通信セキュリティ

無線通信のセキュリティは、さまざまなセキュリティ規格（通信規格）によって守られています。ここではその肝となる「WPA2／3」、そして日常でもよく耳にする「SSID」「SSIDステルス」について解説します。

● WPA2／3

WPA2（Wi-Fi Protected Accessバージョン2）とは、無線LAN（Wi-Fi）の通信規格の一種です。そして、このWPA2には「パーソナル」と「エンタープライズ」という2つのモードがあります。

パーソナルは、事前共有鍵（PSK: Pre-Shared Key）を使って認証する方法です。つまり、認証する側と認証される側の双方で事前にパスワードを共有しておき、認証時にそのパスワードを使います。そのため、万が一パスワードが漏洩してしまうと、そのパスワードを利用する全ユーザーの認証設定を変更する必要があります。

エンタープライズは、認証サーバーを使って認証する方法です。パーソナルとは違い、ユーザーごとにパスワードや証明書を変えることができるので、より安全です。もしユーザーのパスワードが漏洩してしまっても、そのユーザーだけパスワードを変更すればよいことになります。

現在はWPA2より強固な**WPA3**対応の無線LANルーターも入手可能です。そのため可能であれば、セキュリティが強化されたWPA3を使うことをお勧めします。

● SSID

SSID（Service Set IDentifier）とは、無線LAN接続するときのアクセスポイントの識別名です。通常、半角英数字で8文字から32文字で設定されます。SSIDと暗号化キーはセットになっているので、この両者が合致した際にWi-Fi

に接続することが可能になります。

● SSIDステルス

通常、無線LANのSSIDは公開されていて、端末が接続可能なアクセスポイント（SSID）一覧が表示されます。ところが、**SSIDステルス**設定にしておくと、SSIDが一覧に表示されません。これはセキュリティ上、有効だと思われがちですが、攻撃者はSSIDステルスを暴くことができます。そのためSSIDステルスの設定を行っても、あまり効果がありません。

■WPAの種類

セキュリティ モード		認証方式	暗号化方式	暗号アルゴリズム	鍵長
WEP		オープンシステム、または、事前共有鍵	WEP	RC4	64/128ビット
WPA	WPAパーソナル（WPA-PSK）	WPA-PSK	TKIP	RC4	128ビット
	WPAエンタープライズ	802.1X/EAP			
WPA2	WPA2パーソナル（WPA2-PSK）	WPA2-PSK	CCMP、または、TKIP	AES (for CCMP) RC4 (for TKIP)	128ビット
	WPA2エンタープライズ	802.1X/EAP			
WPA3	WPA3パーソナル（WPA3-PSK）	WPA3-PSK	CCMP	AES、または、CNSA	128/256ビット
	WPA3エンタープライズ	802.1X/EAP			

まとめ

▷ **WPAにはパーソナルとエンタープライズがあり、企業などの場合は安全性の高いエンタープライズを利用するとよい**

▷ **SSIDは無線LAN接続するときのアクセスポイントの識別名である**

▷ **SSIDステルス設定にしておくとSSIDが一覧に表示されないが、攻撃者はステルス状態のSSIDを暴くことができるので、セキュリティ上あまり効果は期待できない**

51 著作権保護

近年では著作権に対する意識も高くなり、著作権の保護もセキュリティの一環として注目されています。ここでは「電子透かし」と「デジタルフォレンジックス」という注目されている技術について解説します。

● 電子透かし

電子透かしとは、画像、動画、音声などのデジタルコンテンツに、人が知覚できない程度の別の情報（作者名・課金情報・コピー可能回数など著作権情報など）を埋め込む技術のことです。検出ソフトを使用すれば埋め込まれた情報を取り出すことが可能なので、正規のコンテンツなのか、不正コピーされたコンテンツなのかを判断できます。

■ 電子透かし

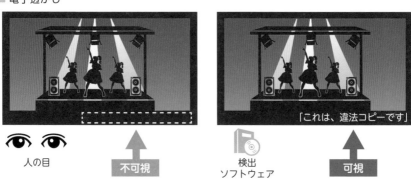

人の目　　　不可視　　　検出ソフトウェア　　　可視

上図のように著作権保護などの目的で、動画や画像に「これは、違法コピーです」などのメッセージが埋め込まれていることがあります。また、埋め込まれたメッセージは、通常、人の目では確認できませんが、検出するソフトウェアを使うと確認できます。

● デジタル フォレンジックス

フォレンジックス（Forensics）には、「法科学」「鑑識」といった意味があります。**デジタル フォレンジックス**は「デジタル鑑識」とも呼ばれており、電磁的な法的証拠として取り扱われます。法的な証拠として取り扱われるためには、データの改ざんがされていないこと、証拠保全のプロセスが整っていることなどが必須になります。

■ デジタル フォレンジックス

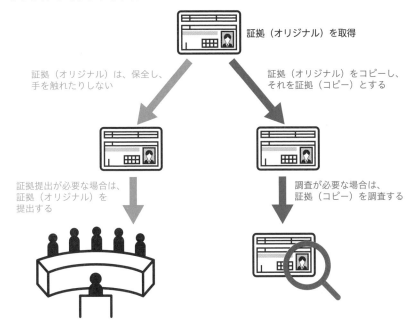

証拠（オリジナル）を取得

証拠（オリジナル）は、保全し、
手を触れたりしない

証拠（オリジナル）をコピーし、
それを証拠（コピー）とする

証拠提出が必要な場合は、
証拠（オリジナル）を
提出する

調査が必要な場合は、
証拠（コピー）を調査する

まとめ

▶ 検出ソフトを使うと、不可視の電子透かしを確認できる

▶ デジタル フォレンジックスは「デジタル鑑識」とも呼ばれており、電磁的な法的証拠とみなされている

52 メール認証

メール認証の方式には、大きく「SPF」「DKIM」「DMARC」の3つがあります。どれも「なりすましメール」対策の技術であり、スパムメールの排除やメール改ざん防止のために考えられました。その詳細を見ていきましょう。

● SPF

メール送信に使用するSMTP（Simple Mail Transfer Protocol）は、容易に差出人のメールアドレス（Fromアドレス）を詐称する「なりすましメール」の送信が可能です。

SPF（Sender Policy Framework）は、メールの送信元のIPアドレスが正規のメール送信サーバーから送信されているかを確認して、「なりすましメール」を防ぐメール認証技術の1つです。

SPFはDNSサーバーと連携することで効果を発揮します。そのため、事前にDNSにSPFレコードを登録しておく必要があります。SPFレコードには、そのドメイン名を送信元としてメール送信可能なサーバーのIPアドレスなどを記述しておきます。

■ SPFのしくみ

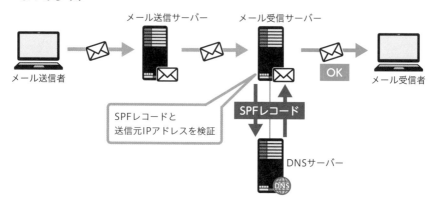

メール送信者　メール送信サーバー　メール受信サーバー　メール受信者
OK
SPFレコードと送信元IPアドレスを検証
SPFレコード
DNSサーバー

SPFの検証手順は左図のような流れとなります。

1. メールを受信したサーバーは、DNSサーバーにSPFレコードを要求します。
2. SPFレコードを取得し、送信元メールサーバーのIPアドレスと一致するか どうかを検証します。

● DKIM

DKIM（DomainKeys Identified Mail）は、電子署名を確認して「なりすましメール」を防ぐメール認証技術の1つです。

DKIMはDNSサーバーと連携することで効果を発揮します。そのため、事前に送信元のメールサーバーの公開鍵をDNSサーバーに登録しておきます。メールサーバーはメール送信時に、自身の秘密鍵で署名したメールを送信します。

■ DKIMのしくみ

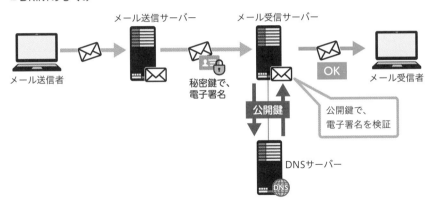

DKIMの検証手順は図のような流れとなります。

1. メールを受信したサーバーは、DNSサーバーに送信元メールサーバーの 公開鍵を要求します。
2. 取得した公開鍵を用いて、電子署名を検証します。

電子署名の検証を行うことで、なりすましやメール改ざんを確認することができます。

◉ DMARC

SPF、KDIMで検証に成功した場合は、メールは正常に配送されます。しかし、検証に失敗した場合は、**DMARC**（Domain-based Message Authentication, Reporting, and Conformance）を用いて、次のアクションを起こすことができます。

・何もアクションをしない（通常配送）

・スパムメールとして、隔離する

・メールを拒否する

これらのアクションは、事前にDNSサーバーに設定したDMARCのポリシーに依存します。また、この検証結果を管理者にレポートすることも可能です。

■ DMARCのしくみ

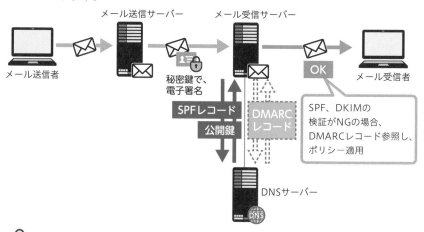

まとめ

▶ SPFではSPFレコードを参照し、送信元メールサーバーのIPアドレスを検証して、なりすましメールを検知する

▶ DKIMでは電子署名（公開鍵／秘密鍵）の機能を用いて、なりすましメールやメール改ざんを検知する

▶ DMARCではSPFやDKIMの検証結果をもとに、メールを通常配送したり、隔離したり、拒絶したりできる

53 ネットワーク管理

ネットワーク管理において、アクセス制御は大変重要な役割を果たします。同様に、MDMと呼ばれるモバイルデバイスの管理も欠くことはできません。ここではアクセス制御の方式やMDM（Mobile Device Management）の特徴を見ていきます。

● アクセス制御

アクセス制御とは、誰がどのような権限で、どんなリソース（ファイル、デバイスなど）にアクセスできるか、ポリシーを設定してそのポリシーをもとに、アクセスを許可したり拒否したりすることです。

そして、このアクセス制御は3つの「A」でいい表されます。それは、**認証**（Authentication）、**認可**（Authorization）、**監査**（Accounting）です。

● 認証

認証は認証情報（ID／パスワード、証明書、生体）を確認して、そのシステムを利用してよい正規のユーザーかどうかを判断する機能です。これは私たちが日常的に体験していることです。スマートフォンやパソコンを利用する際にいわゆるログインという操作を行いますが、これは認証機能を利用した認証行為といえるでしょう。

● 認可

許可は文字どおり、正規のユーザーがどんなリソースに対して、どの権限でアクセス可能かを認可する機能です。これは、通常アクセスコントロールリスト（ACL：Access Control List）と呼ばれる、管理者が定めた条件よって定義されています。この条件が合致してはじめて、ログインできることになります。

● 監査

監査は認証や認可のログを記録しておく機能です。ログを記録しておくことで、ログからアクセス制御の検証が可能になります。また、インシデント発生時にも速やかな対処が可能になります。

■ アクセス制御の機能

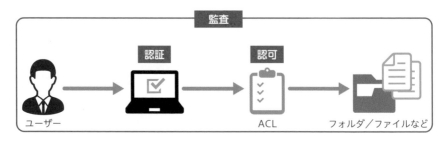

　次にアクセス制御する方式を解説します。方式は主に「DAC」「MAC」「RBAC」の3種類があります。それぞれメリット／デメリットがあるため、企業の規模や環境を考慮して採用します。

• DAC (Discretionary Access Control) 任意アクセス制御

　一般ユーザーが自分でシステム上のアクセス制御を行う方法です。少人数でコミュニケーションが取れる環境であれば、利用者にとっては便利な方式といえます。ただしセキュリティ面では不安が残ります。

■ DACのしくみ

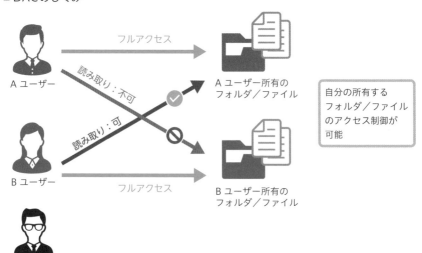

• MAC（Mandatory Access Control）強制アクセス制御

　管理者だけがアクセス制御を行う方法です。メリットはセキュリティを強固にできる点です。デメリットとしては、これは組織の規模や業務形態にもよりますが、管理者に負担がかかるケースも場合によっては起こり得ます。また、利用者は管理者が決めたルールの中で作業することになるため、柔軟性に欠けた環境になる可能性もゼロではありません。

■ MACのしくみ

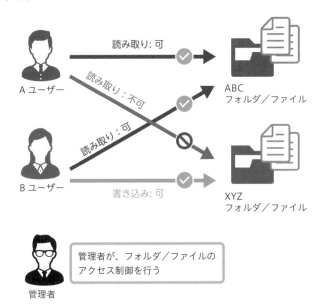

• RBAC（Role-Based Access Control）役割ベースアクセス制御

　ロールとは役割を意味します。役割とはそれぞれの部署で与えられた業務の役割と考えるとわかりやすいでしょう。つまり、部署の中での役割を管理者がきちんと把握して、その部署のメンバーにそれぞれ一定の権限を与えるという方式がこのRBACです。RBACではロールに属するユーザーごとに、アクセス制御を行います。割り当てられたロールに付与された権限でのみ、アクセスが許可されるというわけです。メリットとしては、セキュリティを強化しつつ効率的な業務を期待できるという点が挙げられます。

■ RBACのしくみ

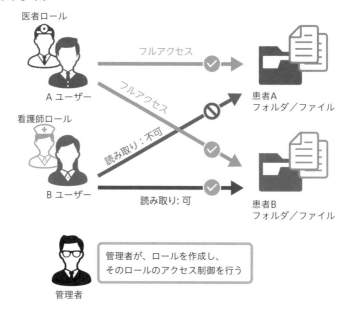

医者ロール
Aユーザー

看護師ロール
Bユーザー

フルアクセス
フルアクセス
読み取り：不可
読み取り: 可

患者A
フォルダ／ファイル

患者B
フォルダ／ファイル

管理者

管理者が、ロールを作成し、
そのロールのアクセス制御を行う

● モバイル管理（MDM）

MDMツールは、以下のような機能でモバイルデバイスを管理します。

・デバイス紛失時のリモートワイプやデバイスのロック

・セキュリティポリシーの適用（アプリケーション管理）

・利用状況の監視（アクセス履歴、位置情報など）

・デバイスの暗号化

・「Jailbreak（脱獄）」や「root化」したデバイスの検出

まとめ

▣ **不正利用はアクセス制御（認証、認可、監査）によって防ぐ**

▣ **MDMの活用でモバイルデバイスの不正利用を防げる**

54 対策機器

ここではハードウェアの視点から、セキュリティ保護に有効な対策機器を紹介します。SIMEはログの集中管理を行い、UTMは統合的に脅威を管理します。どちらもセキュリティ対策においては重要な機器です。

● SIEM

SIEM（Security Information and Event Management）は、サーバーやネットワークデバイスなどのログを一元的に保存と管理します。また、集約したログの相関分析などを行い、セキュリティインシデントの検出とアラートの送信なども行います。ログの収集元は以下のようなリソースです。

・サーバー：Web サーバー、プロキシサーバー、メールサーバーなど
・ネットワークデバイス：ルーター、スイッチ、アクセス ポイントなど
・セキュリティデバイス：ファイアウォール、IPS/IDS、など
・アプリケーション：その他ソフトウェア

■ SIEMのイメージ

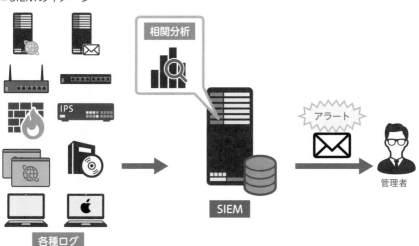

⊙ UTM

UTM（Unified Threat Management）は、各種セキュリティ機能を1つのハードウェアに集約した統合脅威管理デバイスです。各種セキュリティ機能には以下のようなものがあります。

- ・ファイアウォール
- ・IPS／IDS
- ・ウイルス対策
- ・スパムメール対策
- ・Webフィルタリング

■ UTMのイメージ

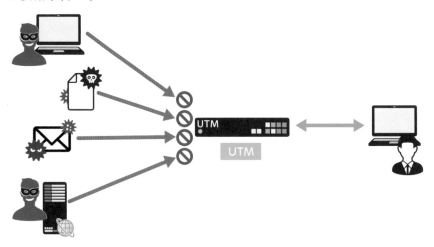

まとめ

▶ **SIEM は各種ログを一元管理し、脅威を検出する**

▶ **UTM は、ファイアウォール単体では防げなかった複数の脅威（ウイルス、スパムメールなど）から、資産を（デバイス／情報）を保護する**

55 物理対策

ここでは論理的なセキュリティ対策ではなく、主に物理的なセキュリティ対策について解説します。中にはこんなものまでと思えてしまうものもあるかもしれませんが、リスクを最小限にするためにも必要な対策になります。

● 耐震耐火設備／UPS／多重化技術

耐震耐火設備とは、建物が免震・耐震構造／耐火設計になっていること、火災モニターやガス系の消化機器がある設備のことです。事前に過去の地震歴、地盤の調査、活断層の有無、液状化の危険性などの調査が必要となります。

UPS（Uninterruptible Power System）とは、無停電電源装置のことです。電源が瞬断された際にも、UPSがあればハードディスクの破損を防ぎ、データを損失することなく業務を一時的に継続したり、安全にシャットダウンしたりすることが可能となります。

多重化技術とは、端末、デバイス、設備、回線、電源などの障害が発生した場合でも、それらを利用できるように複数用意しておく技術のことです。

多層防御についてはP.173で解説しましたが、発想は同じです。

● ミラーリング／遠隔バックアップ

ミラーリングとは、データ、またはデータベースなどを複製して二重化することです。ミラーリングにはさまざまな形態があります。**ディスクミラーリング**はハードディスクドライブなどが故障した際の対策になります。また、バックアップや共有のために行う**ディレクトリミラーリング**といったものもあります。ちなみに**ミラーリングサーバー**は、もともとネットワークの負荷を分散するためのものですが、事故対策としても十分役立っています。

遠隔地バックアップとは、災害などによるデータ損失やシステムダウンに備えて、重要なシステムやデータを遠隔地に複製しておくことです。いわゆる

BCP対策（P.158）として、今日ではさまざまな企業が遠隔地バックアップに取り組んでいます。

● 監視カメラ／施錠管理／入退室管理

監視カメラとは、さまざまな目的で監視を行うためのビデオカメラのことです。とくにサービス業などでは、セキュリティ対策と同時に安全対策として設置するケースが多いです。

施錠管理とは、設備（オフィス／部屋）、そのほか書類のキャビネットや端末を保管する袖机などの施錠を行うことです。

入退室管理とは、ICカード、生体認証、または書面による入退室の記録を取り、不審者の入退室を拒否することです。

● クリアデスク／クリアスクリーン

クリアデスクとは、離席時（退社時も含む）に書類やモバイル端末を机の上に出したままにせず、机の上の綺麗（クリア）な状態にしておくことです。**クリアスクリーン**とは、離席時に端末の画面（スクリーン）をスクリーンセーバーなどで、自動ロックされるようにしておくことです。

クリアスクリーンについては、あらかじめパソコンに設定しておくことで対処できますが、クリアデスクについては社内でルールを作っておくなどの施策が必要になります。

まとめ

▷ 自然災害、電源障害、システム障害などに備えて事前対策を行う

▷ クリアデスク、クリアスクリーンを実施し、リスクを最小限化する

7章

▼

セキュリティの
実装に関する知識

ハッキングやなりすましなどのサイバー攻撃
は、年々高度化・複雑化しています。本章で
は、高度化する攻撃に対し、対抗する技術につ
いて解説します。主にネットワークとデータ
ベースについて基本となる知識を踏まえ、セ
キュリティに関する実装を紹介します。

56　セキュア・プロトコル

通信を行ううえでセキュアであることは、不正アクセスやデータの盗聴を防ぎ通信の内容を保護する、必要不可欠な要件です。ここではネットワーク通信で利用する代表的なセキュア・プロトコルについて解説します。

● OSI基本参照モデル

　コンピューター間の通信は、通信の約束事（プロトコル）を決め、その仕様に沿った機器を有線・無線で繋いで設定することで異なるメーカー同士の機器間でも問題なく通信が行えます。ネットワークを構成しているさまざまな通信プロトコルを役割別に7階層に分類し、わかりやすく整理したモデルのことを**OSI基本参照モデル**といいます。

　通信プロトコルはOSI基本参照モデルで分類された7階層に当てはめて考えることができるため、エンジニア同士でネットワーク通信の話をする場合やネットワーク・プロトコルの機能や役割を理解するのに役立ちます。

■ OSI基本参照モデルの概要

階層名（階層）	代表的なハードウェア	代表的なプロトコル
アプリケーション層（レイヤ7）	プロキシサーバー、WAF、IDS	HTTP、SMTP、SMB、Telnet
プレゼンテーション層（レイヤ6）	－	FTP
セッション層（レイヤ5）	－	TLS
トランスポート層（レイヤ4）	ファイアーウォール	TCP、UDP
ネットワーク層（レイヤ3）	L3スイッチルーター	IP、ARP、ICMP
データリンク層（レイヤ2）	L2スイッチ、スイッチングHUB	PPP、Ethernet、トークンリング
物理層（レイヤ1）	リピータHUB	LANケーブル（電気信号）、光ファイバー（光信号）

- **レイヤ1：物理層**

  ハードウェアに依存した物理的な特性で分類されます。ケーブルの接続部分やケーブルを流れる電流・電圧、光信号などが該当します。

- **レイヤ2：データリンク層**

  イーサネットやトークンリングなど、隣同士で接続されたノード間のデータ送受信や送信単位であるフレームパケットに関する仕様が該当します。

- **レイヤ3：ネットワーク層**

  隣接したノードを超えて、ネットワーク同士のデータ送受信や通信先や通信元のアドレスを設定し、通信経路の決定などの役割が該当します。

- **レイヤ4：トランスポート層**

  パケット通信のエラー制御、再送処理機能で通信データの品質を確保し、信頼性のあるデータ転送を可能にする役割に分類されます。

- **レイヤ5：セッション層**

  通信経路の決定、コネクションの管理や切断などの役割が該当します。Webサーバーを例とすると、テキストとは別に画像1つ1つに対してセッションを確立し画像を表示させる機能などが該当します。

- **レイヤ6：プレゼンテーション層**

  データの表現形式（文字コードや圧縮方式、利用する暗号化方式など）が該当します。Webサーバーを例とすると、異なる文字コードであっても文字化けすることなく正しく表示させることができます。

- **レイヤ7：アプリケーション層**

  クライアント・サーバーで利用するアプリケーションの独自データのやり取りを提供します。FTPの場合、FTPサーバーとクライアント上のファイル転送プログラムの通信が該当します。

OSI基本参照モデルではさまざまなプロトコルが7層に分かれて登場しますが、ネットワーク学習はトランスポート層＆ネットワーク層のプロトコルであるTCP／IPに重点を置き、1〜4層のトランスポート層以下を重点的に学習することが重要となります。

5〜7層はレイヤ別に特化したプログラムがあることはまれで、通信機能を持つアプリケーション・プログラムが5〜7層に分類できる特徴を持つと考え

ることが妥当です。

　実際の通信処理をOSI基本参照モデルで表現したのが、以下の図です。ユーザーが入力したデータは、ネットワーク通信に必要なデータをヘッダとして各階層で付与して、最終的に物理層（電気信号もしくは光信号）にして相手に送信します。

　送信相手（のパソコン）に送信されたデータが受信されると、それぞれの階層で付与したヘッダが処理されてデータを上位層へ渡します。各層で処理され上位層に渡されたデータは、最終的に送信先ユーザーが見ることができる形式に処理されます。

■ 実際の通信処理

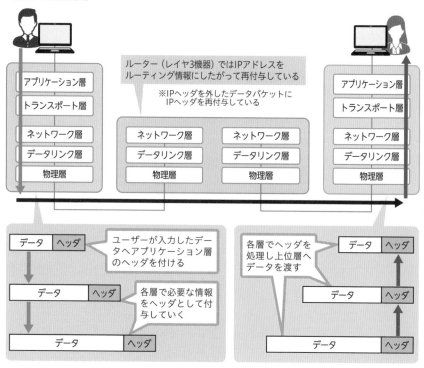

　実際の通信パケットを解析するとわかりますが、通信データは各層のヘッダで構成された連続の文字列なので、OSI基本参照モデルに沿ったネットワーク通信の処理を知ったうえでデータを解析することは有用です。

◯ IPsec

IPsec（Security Architecture for Internet Protocol）とは、暗号技術を使ってIPパケットの秘匿性や完全性・気密性を実現し、パケットの暗号化や改ざん検知を実装した通信を提供する、第3レイヤー（ネットワーク層）で動作するセキュア・プロトコルです。主にVPNに用いられます。

■ IPsecのしくみ

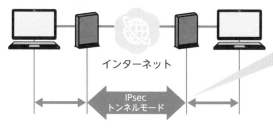

- ・通信機器間（ルーター）でVPN通信を行う
- ・IPヘッダも暗号化
- ・IPヘッダも含め暗号化して通信
  →本来のIPアドレスを秘匿する

IPsec のトンネルモード
- ・法人などで拠点間を通信する際に用いられることが多い

- ・パソコンでVPN通信を行う（VPNクライアントソフトを利用）
- ・IPヘッダは暗号化されない
  →本来のIPアドレスはそのまま

IPsec のトランスポートモード
- ・外部へ持ち出したPCから会社へ通信する際に用いられることが多い

IPsecには主に2種類の通信モードがあり、それぞれに特徴があります。

● トンネルモード

トンネルモードは拠点間VPN通信時に利用される機能で、インターネットに接続された複数の拠点間を安全に接続したい場合に使用されます。実装は、拠点間VPN（IPsec）に対応した機器を各拠点へ設置して実現します。

外部IPアドレスが格納される通信パケット（IPヘッダ）も秘匿するため、外部IP（とそれに関連する情報）も秘匿することができ、公開されたインターネット上をトンネルのように始点と終点をつなぎ、暗号化された通信を実現します。

● **トランスポートモード**

　トランスポートモードは在宅勤務や出張時など、リモートVPN通信時に利用されるモードです。インターネットへ接続したパソコンでVPN接続クライアント（ソフトウェア）を利用してデータを暗号化するため、外部IPは秘匿されません。接続先ネットワークのルーターもVPNパケットを通過させる必要があるため、ルーターにはVPNパケットを通過させる設定（ファイアーウォール上の通過設定）を行う必要があります。

◉ SSH

　SSH（Sucure Shell）とは遠隔にあるネットワーク上からアクセス可能なサーバーを操作するためのプロトコルで、認証後はデータを暗号化して通信することができます。

■ SSHのしくみ

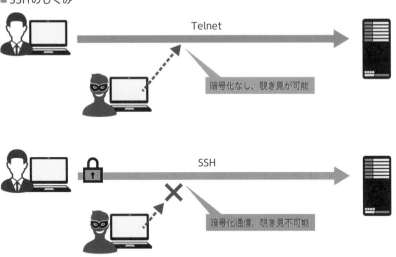

　SSHと同様に遠隔操作に利用される通信プロトコルにTelnetがありますが、Telnetはデータを暗号化せずにそのまま通信するため、ネットワークの経路上で盗聴される危険性があります。Telnetに代わるセキュア・プロトコルとしてSSHは頻繁に使われます。

SSH認証はユーザーIDとパスワードを用いる方法と、公開鍵方式を利用した認証方法が用意されています。

■ 公開鍵方式のしくみ

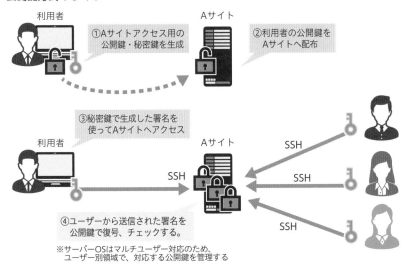

利用者　　　　　　　　　　Aサイト
①Aサイトアクセス用の
公開鍵・秘密鍵を生成
②利用者の公開鍵を
Aサイトへ配布

③秘密鍵で生成した署名を
使ってAサイトへアクセス
利用者　　　　　　　　　　Aサイト
SSH
SSH
SSH
SSH
SSH
④ユーザーから送信された署名を
公開鍵で復号、チェックする。
※サーバーOSはマルチユーザー対応のため、
ユーザー別領域で、対応する公開鍵を管理する

SSHの公開鍵運用は、Aサイトにアクセスする利用者別にログインアカウントが作成されるべきですが（実際は1つの一般ユーザーアカウントを複数利用者で共有しがち）、その場合でも1ユーザーアカウントで複数の公開鍵を登録可能です。また、利用者も複数のサーバーへアクセスする場合、サーバー別に秘密鍵を作成してしまうと管理が煩雑になってしまいますが、可能な限り1つのキーペアを生成し、1つの秘密鍵を厳重に管理することが理想です。

⬤ SSL

SSL（Secure Sockets Layer）は、「SSL証明書」など、インターネットを使ううえで広く知られたセキュア・プロトコルですが、実際は後述するTLSというプロトコルを使用しており、現在では利用されていません。SSLと称した暗号化プロトコルとして実際に使用されているプロトコルは、TLSです。ただ、技術者同士でも「TLS？」となる場合があるので、慣例的にSSLはTLSのことを指していると考えて問題ありません。

○ TLS

TLS（Transport Layer Security）とは、トランスポート層のネットワーク通信のセキュリティを提供するために作成された暗号化プロトコルです。現在慣例的に使用されている「SSL」はTLSのことを指し、SSLの後継プロトコルにあたります。SSL／TLSと表記することもあります。

■ TLSのしくみ

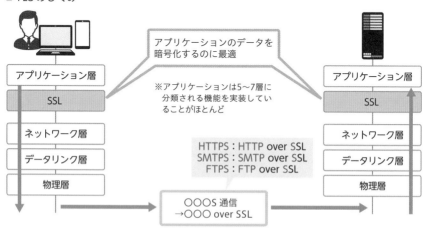

TLSは現在TLS1.3が最新であり、インターネットで利用されている通信の暗号化はTLS1.3の仕様にもとづき暗号化されています。

SSL／TLSはトランスポート層に分類される暗号化プロトコルです。アプリケーションレイヤー（トランスポート層より上の層で動作するプロトコル）から利用するのに都合がよいため、広く使われています。SSL／TLSを利用した暗号化通信を利用したセキュアなアプリケーション・プロトコルは、語尾にover SSLのSを付けて、HTTPS（HTTP over SSL）、SMTPS（SMTP over SSL）、FTPS（FTP over SSL）と呼ばれます。

⬤ HTTPS

HTTPS（HTTP over SSL）とは、SSLプロトコルを用いて暗号化を行うセキュア・プロトコルの1つで、HTTP通信を暗号化し通信データの改ざんや覗き見を防止します。

HTTPSはSSLサーバー証明書が設定されたWebサイトとのHTTP通信で使用することができるプロトコルで、Webサイトと送受信するデータを暗号化することができます。

■ HTTPSのしくみ

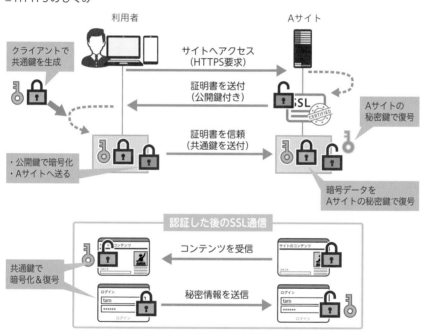

HTTPS通信は、公開鍵暗号方式と共通鍵暗号方式を組み合わせて行っています。HTTPSは公開鍵暗号方式にてAサイト（通信先サーバー）を認証し、共通鍵暗号方式でデータを暗号化して通信を行います。

SSL証明書は暗号化通信を行うだけでなく、利用者がアクセスしたドメイン（URLに使われる〇〇〇.co.jp、□□□.comなどの部分）が正規のドメイン名であることを証明する機能も持ちます。

■ SSL証明書のしくみを免許証に例えると

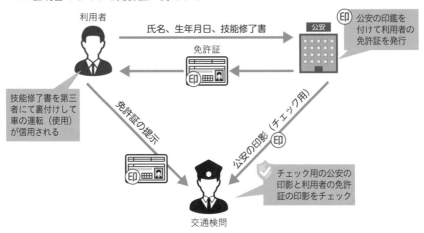

■ SSL証明書のしくみ

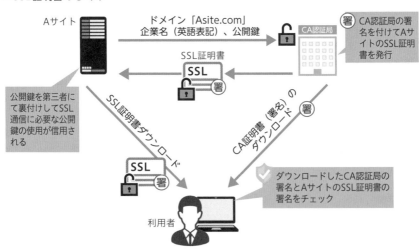

　SSL証明書は、運転免許証が交付されて実際に運転免許証を利用する状況を
イメージするとわかりやすいでしょう。上図はその流れを示したものです。運
転免許証は各都道府県の公安委員会が発行し、本人であることと、車を運転す
る技能と知識（修了証）があることを証明します。運転する技能や知識がある
かどうかを検問で尋ねられた場合、利用者は運転免許証を提示します。検問者

は印影などを照合することでその免許証が正規のものであることを確認します。つまり運転するにふさわしい技能と知識があることを免許証を確認する（免許証に刻印された公安の印影を確認する）というわけです。

　下図をご覧いただくと、SSL証明書も同様であることがわかります。CA認証局へドメインと公開鍵を登録し、発行されたSSL証明書（公開鍵）が信用されます。これが運転免許証に該当します。

　Aサイトの利用者はCA認証局からダウンロードした署名と、AサイトのCA認証局の署名（SSL証明書に添付されている）をチェックすることで、第三者（CA認証局）に承認されたSSL証明書（ドメインと公開鍵）を信用して安全な通信を行うことができます。

まとめ

▷ **OSI基本参照モデルは7つの階層に分類され、トランスポート層より下の階層（ネットワーク層、データリンク層、物理層）の学習が重要**

▷ **IPsecはネットワーク層に分類されるセキュア・プロトコルで、VPNで採用される暗号化プロトコルである**

▷ **TLSはSSLの後継プロトコルであり、トランスポート層に分類される。SSLは現在使用されておらず、後継のTLSのことを慣例的にSSLという**

▷ **HTTPSプロトコルはWebサイトなどでセキュアな通信を確立するために使われ、SSL証明書を利用して通信を暗号化する**

57 ネットワークセキュリティ

前節ではネットワークの基礎知識と、代表的なセキュア・プロトコルについて解説しました。ここではプロトコル自体にセキュアな機能はないものの、その特性を生かしてセキュリティ強化できるプロトコルについて解説します。

● MACアドレス・フィルタリング

MACアドレス（Media Access Control Address）とは、OSI基本参照モデルのデータリンク層のアドレスです（IPアドレスはネットワーク層のアドレス）。

■MACアドレスの表示例

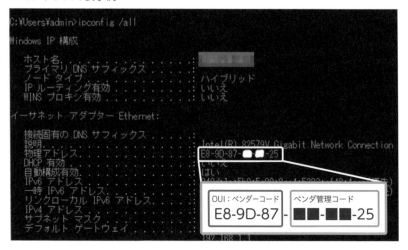

有線LANであればEthernetカード（NIC）、Wi-Fiであれば内蔵されている無線デバイスにMACアドレスが設定されており、同一LAN内のパソコンやネットワーク機器との通信に必要です。MACアドレスは通信デバイス固有で同一MACアドレスは付与されません（ただし偽装は可能）48ビット／12文字で構成され、先頭6桁は製造メーカーを表すベンダーコード（OUI）で、後半の6桁は製造メーカーで付与されます。正規のデバイスであれば、同じMACアドレ

スは２つ存在しないように付与されています。

MACアドレス・フィルタリングは、LANを構成するネットワーク機器など
に設定可能なフィルタ機能です。MACアドレスに対して接続許可設定をする
ことで、登録のないMACアドレスの接続を拒否します。

とくにWi-Fiや無線LANなどのネットワーク機器は、電波の受信範囲にいる
デバイスは接続することが可能なため、接続してくる不明なデバイスを拒否す
る機能として設定されます。

● 認証VLAN

VLAN（Virtual Local Area Network）とは、物理的な１つのLANを仮想的に複
数のLANに分割、もしくは複数のLANを１つの仮想的なLANとして利用でき
る機能です。VLAN機能を導入する場合は「リピータハブ」「スイッチングハブ」
などのネットワーク機器では対応していないことが多いため、「VLAN」対応機
器であることを確認したうえで購入することが大切です。

■ 通常のVLAN

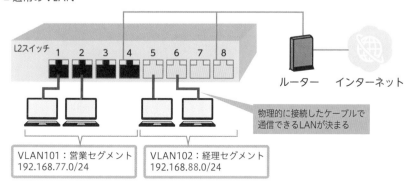

VLANは１つの機器で複数のLANセグメントを持つことができるのが特徴で
すが、VLANに対応していないリピータハブやスイッチングハブを複数設置す
ることでも実現できます。上図のように部署別にLANを分ける場合は、設置
されたパソコンの場所が物理的に離れている場合が多く、パソコンが設置され
た場所の近くにハブを設置したほうが都合がよいため、VLANに対応したネッ
トワーク機器である必要性があまりありません。

■ VLAN設定の例

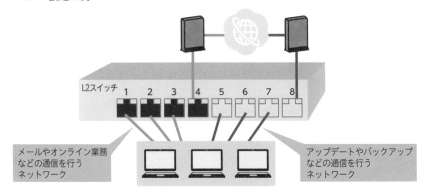

あくまで筆者の経験上の話ですが、1台のパソコンが複数のLANへ接続する要件がある場合に、設置スペースや電源口などの都合でVLANを設定することが多かったです。たとえば業務で利用する通信を行うセグメントと、バックアップやオンラインアップデートなどを行う通信を分けるために、VLANを設定して同一機器でセグメントを分けることがありました。

■ 認証VLANの利用例

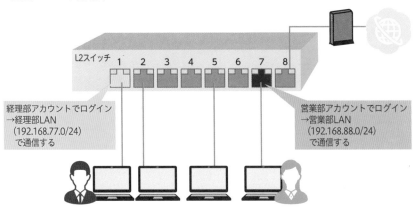

認証VLANは、ユーザー別に利用するLANを選ぶことができるため、接続しているネットワーク機器の縛りを受けずに、パソコンを利用するユーザー別に接続するLANを選べるのが特徴です。フリーアドレス制のオフィスなどに適した機能であり、LANが分かれていることで通信パケットが完全に分断するこ

とができ、セキュリティが向上します。また、通信量も他の部署の影響を受けにくくなるため、輻輳（通信量が増えて通信速度が遅くなる状態）の対策や原因特定が容易になるなどのメリットがあります。

◯ VPN

VPN（Virtual Private Network）は直訳すると「仮想専用線」です。インターネットのみならず、通信回線を使い実現できる仮想の暗号化データ通信方法です。

P.217ではIPsecやSSL（P.219参照）について解説しましたが、インターネットVPNはIPsec・SSLの暗号化を利用し、パブリックネットワークにおいて専用線で通信しているかのような暗号化通信を実現します。

通信回線を持つ事業者は、インターネットに接続するサービス（ISPサービス）を提供するだけではなく、IP-VPNや広域イーサネットといった、事業者が所有する回線（またはほかの通信会社と提携している設備を使った回線）を使いVPNを提供することができます。

■ インターネットVPN／IP-VPN、広域イーサネットのイメージ

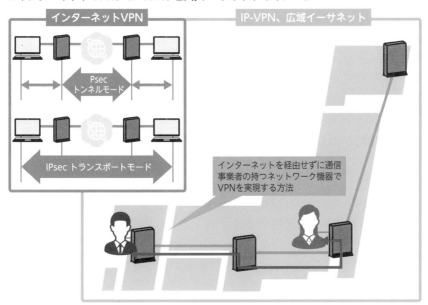

利用者から見ると、建屋に引き込んだ回線がインターネット回線なのか、通信事業者と利用者を繋ぐ専用回線なのか区別がつかず、イメージがつきにくいですが、IP-VPNや広域イーサネットはネットワーク・通信に利用する設備がインターネットとは異なります。

　インターネットを使わずに通信会社が持つ設備でネットワーク環境を実現するため、利用するプランや事業者により通信速度や通信の安定性、提供できる地域に差があり、利用料金もインターネット回線と異なり高額です。セキュリティ面でもパブリックネットワークからアクセスすることが物理的に難しく、インターネットVPNよりもさらにセキュアなネットワーク環境といえます。

まとめ

- ▶ MACアドレスはハードウェア個別に設定されたアドレスであり、フィルタリングする機能をMACアドレス・フィルタリングという

- ▶ 認証VLANは、パソコンへログインするユーザー別に利用するLANが適用される機能である

- ▶ IP-VPNや広域イーサネットといったサービスは、インターネット回線を利用せずに通信事業者の設備を利用してVPN網を利用するサービスである

58 データベースセキュリティ

データベースには企業が提供するサービスやサービスの利用者に関する情報が保管され、セキュリティ上、瑕疵（かし）が発生してはならないシステムの1つです。ここではデータベースセキュリティに関する前提知識を解説します。

リレーショナルデータベース

リレーショナルデータベース（以下、RDB）を理解するとき、表計算ソフトで作成した一覧表をデータベースへ移行することを考えると、イメージしやすいと思います。RDBの重要な機能に「主キー」と「外部キー」というものがあります。

■ リレーショナルデータベースのしくみ

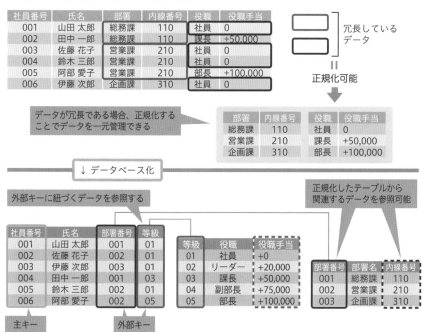

● 外部キー

表計算ソフトで社員名簿を作った場合、同じデータが複数存在するとき（データが冗長している状態）があります。このデータを別表とすることでデータは冗長することなく一元管理可能になります。このことをデータの**正規化**といい、メインの表（社員名簿）から、部署・役職表のデータへ関連付けるデータを**外部キー**といいます。

● 主キー

社員名簿は、多数のレコード（行）から特定のレコードだけを指定できなければなりません。同一社員の異なるレコードや、複数の社員に同じ社員番号が付与された場合はデータの誤りだからです。社員番号のようにレコード（社員）が特定可能なデータを**主キー**といいます。

RDBは多数のレコードから特定の1レコードを指定する主キーを持ち、複数あるテーブルとの関係性（Relationship）を持ったデータ集合のことをいいます。

表計算ソフトとRDBの違いは上記に示すデータ管理方法に大きな違いがあり、結果としてデータの検索・更新時の性能（早さ）・正確さに差が出ます。

○ SQL

SQL（Structured Query Language）はRDBを操作するためのデータベース専用の言語であり、データベースの定義や参照・更新を行うことができます。SQL言語は国際標準化されているため、異なるRDB製品でも同じ構文（SQL）でデータに対する基本的な操作が可能となっています。

■ SQL文の基本

CRUD	SQL文	処理
Create	INSERT	データを新規に作成する
Read	SELECT	データを選ぶ
Update	UPDATE	データを更新する
Delete	DELETE	データを削除する

SQL文の基本は、表に対するCRUD（Create：作成、Read：読み込み、Update：更新、Delete：削除）の4つでデータを管理します。そのほか、データベースにアクセスするログインユーザーの作成・パスワード更新・表のアクセス権付与などもSQL文で行います。

　表に対するSQL文の具体例を以下に示します。例のほかにも部署テーブルの部署番号を社員名簿へ結合して、部署名と内線番号のある社員名簿を抽出（SELECT文）したり、役職テーブルの役職手当＋50,000以上のユーザーに対して役職手当を−10,000（UPDATE文）したりといったことも実行できます。

■ SQL文の具体例（INSERT文）

CREATE：テーブルへ1行データを追加
→INSERT文

社員名簿

社員番号	氏名	部署番号	等級
001	山田 太郎	001	01
002	佐藤 花子	002	01
003	伊藤 次郎	003	01
004	田中 一郎	001	03
005	鈴木 三郎	002	01
006	阿部 愛子	002	05

社員名簿へ
氏名：坂本四郎、
部署番号：004、
等級：01を追加

社員名簿

社員番号	氏名	部署番号	等級
001	山田 太郎	001	01
002	佐藤 花子	002	01
003	伊藤 次郎	003	01
004	田中 一郎	001	03
005	鈴木 三郎	002	01
006	阿部 愛子	002	05
007	坂本 四郎	003	01

SQL文
INSERT INTO 社員名簿（社員番号, 氏名, 部署番号, 等級）
VALUES（007, 坂本四郎, 003, 01）

■ SQL文の具体例（SELECT文）

READ：テーブルからデータを選択
→SELECT文

社員名簿

社員番号	氏名	部署番号	等級
001	山田 太郎	001	01
002	佐藤 花子	002	01
003	伊藤 次郎	003	01
004	田中 一郎	001	03
005	鈴木 三郎	002	01
006	阿部 愛子	002	05

社員名簿から
部署番号が001の
全項目を抽出

SQL文
Select * from 社員名簿
where 部署番号＝001

社員名簿

社員番号	氏名	部署番号	等級
001	山田 太郎	001	01
004	田中 一郎	001	03

部署番号が001の
データ全項目を選択

■ SQL文の具体例（UPDATE文）

> UPDATE：テーブルのデータを更新
> →UPDATE文

社員名簿

社員番号	氏名	部署番号	等級
001	山田 太郎	001	01
002	佐藤 花子	002	01
003	伊藤 次郎	003	01
004	田中 一郎	001	03
005	鈴木 三郎	002	01
006	阿部 愛子	002	05

社員名簿の
氏名：佐藤花子を
西郷花子へ更新

社員名簿

社員番号	氏名	部署番号	等級
001	山田 太郎	001	01
002	西郷 花子	002	01
003	伊藤 次郎	003	01
004	田中 一郎	001	03
005	鈴木 三郎	002	01
006	阿部 愛子	002	05

SQL文

update 社員名簿
SET 社員名＝西郷 花子
Where 社員名＝佐藤 花子

■ SQL文の具体例（DELETE文）

> DELETE：テーブルのデータを削除
> →DELETE文

社員名簿

社員番号	氏名	部署番号	等級
001	山田 太郎	001	01
002	佐藤 花子	002	01
003	伊藤 次郎	003	01
004	田中 一郎	001	03
005	鈴木 三郎	002	01
006	阿部 愛子	002	05

社員名簿の
氏名：田中一郎を
削除

社員名簿

社員番号	氏名	部署番号	等級
001	山田 太郎	001	01
002	佐藤 花子	002	01
003	伊藤 次郎	003	01
005	鈴木 三郎	002	01
006	阿部 愛子	002	05

SQL文

DELETE FROM 社員名簿
Where 社員名＝田中一郎

● データベース暗号化

データベース（DB）の暗号化は、対応できる脅威を明確にしたうえで、システムの構成に合わせて適切に設定する必要があります。そもそもデータベースはデータの参照・更新の早さ・正確さを目的として利用されますが、適用する暗号化方法によっては性能が劣化する場合があるためです。

データベースの暗号化には大きく分けて3つの方法があります。

■ データベースの暗号化方法

暗号化の方法	対応する脅威			対応コスト、システム負荷
	ハードディスク盗難	DBファイル盗難	不正アクセス	
ハードディスク暗号化	阻止！	無理	無理	少ない
データベース暗号化	阻止！	阻止！	無理	中程度
アプリケーション暗号化	阻止！	阻止！	阻止！	大きい

● ハードディスク（ストレージ装置）の暗号化

　ハードディスクの暗号化は、マイクロソフトで提供されるBitLockerやApple社のFileVaultとほぼ同じしくみを持ち、ハードディスクの持ち出しや不正コピーなどの脅威に対して有効です。ただし、OS起動後は暗号化が解除された状態となるため、データベースに対するアクセスが可能となります。

● データベースの暗号化

　データベース暗号化は、OS起動状態で行うDBファイルやデータ領域に対する不正コピーなどDBMS（P.234参照）を介さない操作に有効です。データベースを構成するファイルをそのまま持ち出しても復号することができません。同様にHDDが持ち出されても、暗号化されたファイルは復号できません。ただしDBMSからアクセスされた場合は、データの参照が可能です。

● アプリケーション暗号化（ＤＢカラム暗号化）

　アプリケーション暗号化は、復号可能な専用ＤＢユーザー（暗号化時の秘密鍵を使えるユーザー）、もしくは復号する専用アプリケーションでアクセスしないと復号できないため、不正アクセスに対しても有効です。ＤＢのルートユーザーでも復号はできません。ただしDBのルートユーザーで暗号化したデータの改変や削除はできるため、情報漏洩時などに持ち出された暗号化データが復号されることを防ぎます。暗号化や復号時DBMSへ負荷がかかるうえ、既存システムへ導入する場合は大きなコストがかかります。また、暗号化することでデータの容量が増えます。

　また、暗号化したデータ（カラム）は専用のアプリ・ユーザーでしか復号が

できないため、インデクス化やテーブルのフルスキャン処理（全検索や統計処理など）の対象外にする必要があります。

データベース暗号化に関する詳細は、以下に示すURLで詳しく記載されているので参考にしてください。

http://www.db-security.org/report/dbsc_cg_ver1.0.pdf

● データベースアクセス制御

データベースは **DBMS**（DataBase Management System）により、管理者や運用担当者、ユーザーによるデータベースへの処理や管理機能を提供しています。不正アクセスの防止・情報漏洩時の被害を最小限に留めるにあたり、なくてはならない設計・考え方の1つにデータベースに対するアクセス制御があります。

データベースには複数のDBユーザー、権限が存在し、それぞれのDBユーザーがテーブルに対し適切に権限を所有することで安全かつ確実にトランザクションが処理されます。

■ データベースアクセス制御の例

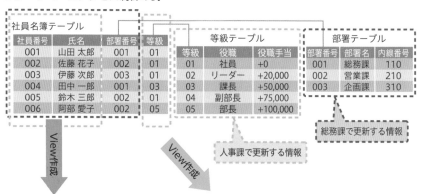

アクセス制御の具体例を左図で説明します。社員名簿テーブルで社員に関するさまざまな情報を一元管理している場合を想定します。社員名簿の等級情報などは一般社員に見せる必要のない情報で、人事担当者のみ等級テーブルの参照・更新権限を付与します。また、内線番号の更新や所属課の更新など総務担当者が行う作業は、部署テーブルに対する更新権限が必要です。

　データベースは業務・サービス利用に必要な最低限のアクセス権を与え、見せる必要のないデータはユーザー別のビューを作成するなどして対応します。データベースのアクセス制御は、テーブルやビュー単位で行います。

　たとえば、サービスを利用する一般利用者が管理者権限を持つDBユーザーとしてデータベースを操作することは、システムを誤って破壊する可能性があります。また、万が一サービス利用者のアカウントが不正アクセスを受けた場合は、大きな損害を受ける可能性が高くなります。さらに、システムの障害対応時にDBメンテナンス専用ユーザーで復旧することは困難な場合があり、管理者権限を持つユーザーを利用することが必要となります。システムの運用やサービス利用に必要なデータなど、適切な権限を適切な利用者に割り当てることが重要です。

● データベースバックアップ

　データベースのバックアップは非常に重要です。たとえば、銀行の入出金や株式・為替取引などはミリ秒単位で取引を記録しています。仮にデータベースに障害が発生して、成立した取引（データへの更新）がデータの喪失と共になかったことになった場合、重大な信用問題になります。

　データベースに障害が発生した際の重要な復旧機能に「ロール・バック」「ロール・フォワード」があります。これらは、障害発生時に処理中だった更新を取り消したり、障害後に復旧したシステムへデータを障害前に戻す機能です。

　データベースは、データを更新したSQL（トランザクション）をログに記録します（ログはデータベース製品によりREDOログ、ジャーナル、アーカイブログなどと呼ばれます）。バックアップは主に、データベース自体のフルバックアップと、フルバックアップの差分バックアップ（ログ）で構成されます。

■ データバックアップのイメージ

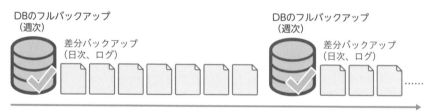

DBのフルバックアップ
（週次）

差分バックアップ
（日次、ログ）

DBのフルバックアップ
（週次）

差分バックアップ
（日次、ログ）

......

時間

● ロール・バック

　ロール・バックは、データ更新などのトランザクション（複数のSQL文をまとめた処理）に誤りがある場合などにトランザクション完了前の状態に戻す動作です。トランザクションの完了（コミット：Commitするという）と同時に記録されるデータベースのログをもとに、トランザクションがコミットされる処理前や指定の時間・状態まで戻します。

　このロールバックによって、アプリケーションエラーなどに伴う誤処理や、メンテナンス機能を誤って中断してしまった場合など、コミット済みの誤ったトランザクション処理を取り消すことが可能です。誤ったデータ更新からデータベースを復旧する際に用いられることが多く、後述するバックアップのリストア＋ロール・フォワードによる復旧よりも短時間で復旧することが可能です。

■ ロール・バックのイメージ

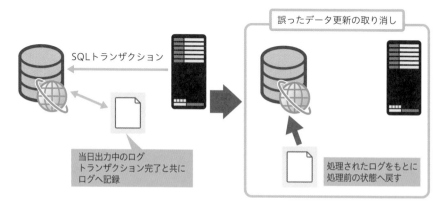

誤ったデータ更新の取り消し

SQLトランザクション

当日出力中のログ
トランザクション完了と共に
ログへ記録

処理されたログをもとに
処理前の状態へ戻す

● ロール・フォワード

　データベースに致命的な障害（記録媒体の物理的な障害など）が発生した場合を考えます。フルバックアップを取得して、3日後にデータベースに障害が発生したとします。データベースのデータに致命的な欠損があり、ロール・バックでの復旧が困難と判断された場合、フルバックアップのリストア＋ロール・フォワードで復旧します。

　フルバックアップのリストアのみを実施した場合は3日前の状態に戻るだけですが、ロール・フォワードの機能を使うことで、データベース障害の直前にコミットした時点まで復旧が可能です（ログはデータベースと別の記録媒体へ出力し、物理的な障害に備えるシステム構成とする必要があります）。

■ ロール・フォワードのイメージ

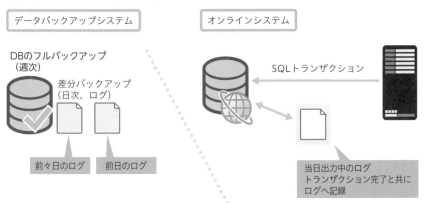

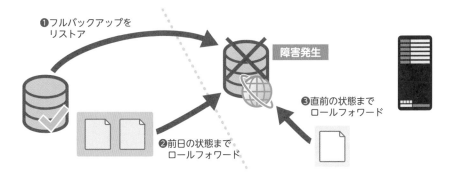

データベースの永続性は、ロール・バック＆ロール・フォワードの機能を基本として保っています。そのほかにも高額なシステムになると複数台のデータベースを用いたホット・スタンバイ＆コールド・スタンバイ機能や、ディスク装置の書き込みを複数ディスクへ一度に行うシャドウ・ボリューム機能を持つディスク装置などを組み合わせるなどして、ミッション・クルティカルなシステムを実現しています。

まとめ

- ▷ リレーショナルデータベースは、データを一元管理するためにSQLやDBMSを利用して管理される
- ▷ データベースの暗号化は、適用する箇所により対応する脅威が異なる
- ▷ ロール・バック、ロール・フォワード機能は、データベースの永続性を保つために必要な機能である

59 アプリケーション セキュリティ

ここではアプリケーションのセキュリティ対策を俯瞰的な視点で解説します。システムにおける脆弱性のほとんどは、製作者が自らの手で作り込んでいます。その点を理解すれば、対策していくための手がかりや気付きが得られるはずです。

◯ SQLインジェクション対策

　SQLインジェクションの根本的な原因は、外部から指定された文字をデータベース（正確にはDBMS）がそのまま処理してしまうことで発生します。この対策を手作業で実施することを「エスケープ処理」といい、P.081の「SQLインジェクション」でも述べましたが、DBMS製品やWebアプリケーションとの組み合わせにより対策する文字が異なります。ここではDBMSで対策可能なプレースフォルダ機能について解説します。

● プレースフォルダ

　プレースフォルダには静的プレースフォルダと動的プレースフォルダがありますが、動的プレースフォルダは利用するプログラム言語により利用できない場合があります。また、バージョンが古い場合は、脆弱性が存在するものもあります（過去に脆弱性が発見されたということは、内在している脆弱性がまだ露呈していない可能性がゼロではないということもいえます）。

　静的プレースフォルダは、プログラム・コード内に記述するプログラム変数を利用せずに、バインド処理という機能を利用します。プレースフォルダを指定してバインド処理することで、SQLの制御文となる特殊文字や記号をエスケープ処理し、SQLインジェクションを無効化します。

　静的プレースフォルダと動的プレースフォルダの違いは、静的プレースフォルダは「DBMSでSQL文を作成しておく」機能であり、動的プレースフォルダは「プログラム言語のライブラリでSQL文を作成しておく」という点に違いがあります。

■ PHP での静的プレースフォルダ利用方法

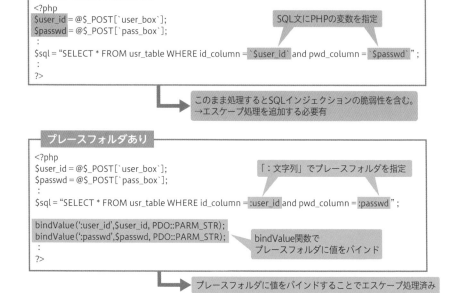

もともとの静的プレースフォルダは、よく使うSQL文をDBMS上に記憶しておき、検索値（リテラル値）を入れるだけの状態にすることで処理を高速化するものです。結果として、検索値（リテラル値）に入力された特殊文字は値としてしか認識できない状態になるので、SQLインジェクションを無効化します。

動的プレースフォルダは、言語ライブラリを利用してプレースフォルダとバインド処理を行い、SQLをDBMSが処理（解釈する）するため、脆弱性が入り込む余地があるといえます。

● Webシステムのセキュリティ対策

Webシステムにおける脆弱性は、WebブラウザやWebサーバーアプリケーション（PHPやperlなど）の持つ機能を悪用したものなどがあります。Webシステムに脆弱性がある場合は、基本的にセキュリティ・アップデートなどで対

策されますが、深刻な脆弱性が発見されず存在し続けた場合、サーバーで管理している資産は非常に危険な状態に陥ります。

　また、PHPやperlなどを使用したアプリケーション開発は手作業である以上、脆弱性を折り込んでしまうこともあります。したがって定期的な脆弱性診断やWAF（Web Application Firewall）の設置など、根本的な対策をしたうえで行うWebシステムに特化した対策の必要性は高く、脆弱性診断やWAFの導入だけでは万全とはいえません。Webサーバーアプリケーション開発時に行う、手作業のセキュリティ対策を行う必要があります。

　以下はIPA（独立行政法人情報処理推進機構）発行の「安全なWebサイトの作り方（※1）」および、徳丸浩 著「安全なWebアプリケーションの作り方」から抜粋しました。Webサイト・アプリケーションの製作・設計に関わる方は知っておくべき内容となっております。

　※1 URL：https://www.ipa.go.jp/security/vuln/websecurity.html

①HTTPレスポンスのエスケープ処理（サニタイズ）

　XSSやHTTP・インジェクション、OSコマンド・インジェクション、ディレクトリ・トラバーサルなどの対策として、サニタイズ処理はWebシステムの設計・製造段階から折り込む必要があります。

　サニタイズの対象文字列は、ディレクトリ・トラバーサルの対象文字列である「%2F」…（「/」のエンコード文字列）、「%5C」…（「¥」のエンコード文字列）または2重エンコードした「%252F」、「%255Cなどや、XSSの原因となる対象文字列の「&」「<」「>」「"」「'」などです。

　HTTPヘッダ・インジェクション、メールヘッダ・インジェクションの原因となる、エンコードした改行文字列「%0D%0A」「%0D」などもサニタイズする必要があります。

　サニタイズはWebアプリケーション（PHP、Perlなど）のAPI関数を利用する方法も存在し、要件に合わせた設計・実装が必要です。

②Webフォームの入力値チェックを行う

　メール送信ページなどのWebフォームの脆弱性を狙った攻撃も後を絶ちません。Webフォーム作成時には、たとえば電話番号は数字のみ、メールアド

レスは「@」「.」と英数字のみ入力可能にするなど、入力可能な文字列を制限することです。こうした対策をWebシステム作成時に折り込むことは、XSSなどの攻撃を予防することにもなります。

③専用のAPI関数を利用する

Webアプリケーション（PHPやPerlなど）のライブラリに用意されているAPI関数を使うことで、XSSやHTTPヘッダ・インジェクションの原因となる文字列のサニタイズが可能です。認証時のセッション管理や、外部から更新可能なWebページに適用するトークンなども、専用の関数を利用して実装することが推奨されます。

④脆弱性の根本となる機能を作り込まない

メールヘッダ・インジェクションやOSコマンド・インジェクションなど、脆弱性の元となる機能（OSコマンドやメール送信コマンドなど）を実装せずに設計する、または外部へ公開せずに実装することで、脆弱性を含みやすい処理を公開せずに設計することも有効です。

⑤セキュリティ・アップデートを実施する

Webシステムに限らず、OS・アプリケーションのセキュリティ・アップデートは必須です。古いバージョンのまま運用することは、脆弱性を含む可能性が高く危険な状態です。

⑥URLやWebフォーム入力値を利用せず固定値や値選択にする

サーバー内部のファイルを参照する場合に固定のディレクトリを選択する、セッション管理にURLパラメータを利用せずPOSTデータを使うなどします。また、Webフォーム入力からURLを処理する場合は「http://」や「https://」を固定値とし、ドメイン名以降を入力値で処理するなどの対策をすることで、ディレクトリ・トラバーサルやXSS攻撃、セッション管理の不備などを防ぎます。

● バッファ・オーバーフロー対策

C/C++言語は正しい利用法やセキュア・コーディングを意識せずに開発することは脆弱性を生む原因となります。低レベル（低水準）なプログラム言語（ハードウェア・レイヤに近い水準という意味）であるため、CPU・メモリなどの操作やデバイスへの入出力など、ほとんどのハードウェアを操作する関数が用意されています。人間が理解しやすい文法でさまざまな処理が記述できる反面、プログラム作成者の負担は大きいと言えます。

以降に示す**バッファ・オーバーフロー**（以下、BF）の対策は、IPAおよび、JPCERT／CCから一部引用してまとめたものです。また、JPCERT／CCと協力関係にある米国CERT／CC（日本のJPCERT／CCとは独立していますが、母体組織といってよい）にも主要なプログラミング言語のセキュア・コーディング基準（英文）があるので参考にしてください。

■ セキュア・コーディングガイド一覧

セキュア・コーディングガイド	URL
IPA（独立行政法人情報処理推進機構）「セキュア・プログラミング講座」	https://www.ipa.go.jp/security/awareness/vendor/programming/index.html
JPCERT/CC（一般財団法人JPCERTコーディネーションセンター）「セキュア・コーディング」	https://www.jpcert.or.jp/securecoding/
CERT/CC（カーネギーメロン大学ソフトウェア工学研究所CERTチーム）「CERTコーディング基準」	https://wiki.sei.cmu.edu/confluence/

セキュア・コーディングガイドでは、BFに限らず、誤ったプログラミングで作りこんでしまう脆弱性の解説や対策の詳細が記述されています。セキュリティに関する詳しい知識を養い、よりプロフェッショナルかつセキュアなプログラミングを目指す方に向けた実践的な内容となっており、詳しい対策は上記表を参照してください。

● BF対策1（プログラミング時）

　BF攻撃は、バッファ（確保したメモリ領域）へデータを書き込むときに、その領域を超えて書き込みをしてしまうことで発生します。たとえば、プログラム内で宣言する変数の制限を超えたデータを書き込むことで発生します。

■ BFの原因となる動作・関数と代替関数

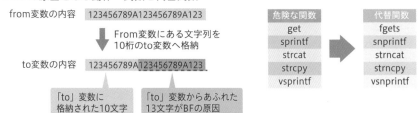

from変数の内容　123456789A123456789A123

From変数にある文字列を
10桁のto変数へ格納

to変数の内容　123456789A123456789A123

「to」変数に
格納された10文字

「to」変数からあふれた
13文字がBFの原因

危険な関数	代替関数
get	fgets
sprintf	snprintf
strcat	strncat
strcpy	strncpy
vsprintf	vsnprintf

　BF攻撃の脆弱性を作り込む原因となる関数の例としてstrcpy関数があります。危険な関数は利用せず、コーディング段階で安全な関数を利用することで対策します。

● BF対策2（コーディング後）

　コーディング後のテストやチェック時に、ツールを組み合わせることで効率的に対策することも可能です。BF攻撃の原因となる脆弱性を作り込まない対策はもちろん必要ですが、コンパイル済みの実行ファイルに対し、ソースコードを変更せずに一括変換を行うなど、動作チェックや脆弱性をチェックするツールを使うことで対策できます。

主要な機能	利用可能な製品	利用方法・指定方法
1. ヒープデバッガ／ メモリリーク検出	Valgrind （UNIX／Linux）	ツール実行
2. 脆弱性・不具合検出	Application Verifier （Windows）	Visual Studioにて Visual C++デバッガ機能
3. あふれ検出	GCCコンパイラ （UNIX／Linux）	Mudflap （オプション指定）
	Visutal C++（Windows）	/RTCs（オプション指定）
4. 脆弱な関数の一括変換	GCCコンパイラ （UNIX／Linux）	-D_FORTIFY_SOURCE （オプション指定）

● BF対策3（コンパイル後・運用時）

　既に運用されているシステムの改修は、テストや再リリースも含めると莫大な工数になるため、リリース済みのプログラムに対する対策は専用オプションを指定した再コンパイル、OSパッチの適用やOSパラメータの変更で行うことも可能です。

■ 対策に有効な機能と製品例

主要な機能	利用可能な製品	利用方法・指定方法
1. 関数リターンアドレスの 書き換え検知 カナリア（Linux）領域／クッキー （Winows）領域の設置	GCCコンパイラ （UNIX／Linux）	-fstack-protector （オプション指定）
	Visual C系 （Windows開発言語）	/GS （オプション指定）
2. スタック／ヒープ領域アドレスの ランダマイズ	Exec-Shield （Linuxパッチ）	exec-shield-randomize （カーネルパラメータ）
	ASLR（Visual C系） （Windows開発言語）	/dynamicbase （オプション指定）
3. データ実行防止機能（ヒープ／ス タック領域、メモリ領域）	Exec-Shield （Linuxパッチ）	Exec-shield （カーネルパラメータ）
	DEP（Windows OS）	システムプロパティ

BF攻撃はメモリ領域に対する攻撃です。プログラム内で使用するプログラムアドレスをランダム化しBF攻撃を成立しにくくしたり、スタック／ヒープ領域の不正なコマンドを無効化する対策や、メモリ領域の不正な上書きを検知するなどして対策します。

まとめ

- ▶ **SQLインジェクションはプレースフォルダで対策する**
- ▶ **Webシステムは、入力値のチェック、サニタイズ処理を施し、自作処理や関数を利用せずにAPI関数を利用して対策する**
- ▶ **BFはセキュア・コーディング、コンパイル・オプション、OS設定、専用ツール実行などで対策する**

付　録

セキュリティ対策において、管理的観点と技術
的観点からバランスよく対策を行うことが重要
となりますが、もう1つ忘れてならないのが法
令遵守の観点です。ここではセキュリティに関
する代表的な法律・規格を解説していきます。
ほかの章でも関連する法律・規格があればその
都度解説していますが、リファレンス的な位置
付けで参考にしてください。

個人情報保護関連セキュリティ関連の法律・規格

サイバーセキュリティ基本法

サイバーセキュリティ基本法は、2014年11月に成立した法律で、サイバーセキュリティに対する国の基本方針や原則が明示された行政手続法です。この法律では、サイバーセキュリティとは何であるかを定義し、そのサイバーセキュリティの推進に対し、国や地方自治体、重要インフラ、教育などの各機関にどのような責務が明示されています。また国民に対しては、サイバーセキュリティの重要性に関する関心と理解を深め、サイバーセキュリティの確保に必要な注意を払うよう努めることが求められています。

■サイバーセキュリティとは

サイバーセキュリティ基本法第二条で次のように定義されています。

"電子的方式、磁気的方式その他人の知覚によっては認識することができない方式により記録され、又は発信され、伝送され、若しくは受信される情報の漏えい、滅失又は毀損の防止その他の当該情報の安全管理のために必要な措置並びに情報システム及び情報通信ネットワークの安全性及び信頼性の確保のために必要な措置が講じられ、その状態が適切に維持管理されていることをいう。"と定義されています。難しい説明ですが、サイバーは「コンピューターの」「インタネットの」、セキュリティは「安全、保護、防犯」という意味で、平たくいうと、『コンピューターやインターネットの防犯』ということになります。

■サイバーセキュリティ戦略本部

サイバーセキュリティ戦略本部は、サイバーセキュリティ基本法にもとづき、2015年1月に内閣に設置された組織で、本部長は内閣官房長官が務めています。サイバーセキュリティ戦略本部の役割は次のとおりです。

①サイバーセキュリティ戦略案の作成
②政府機関など防御施策評価(監査を含む)
③重大事象の施策評価(原因究明調査を含む)
④各府省の施策の総合調整

サイバーセキュリティ戦略本部は、国のサイバーセキュリティを効果的に推進するための組織です。

■内閣サイバーセキュリティセンター(NISC)

内閣サイバーセキュリティセンター(National center of Incident readiness and Strategy for Cybersecurity:NISC)は、サイバーセキュリティ戦略本部設置と同時の2015年1月に、内閣官房に設置された組織です。センター長は、内閣官房副長官補が務めています。NISCの役割は次のとおりです。

①「政府機関情報セキュリティ横断監視・即応調整チーム」(GSOC)に関する事務
②原因究明調査に関する事務

③監査などに関する事務

④サイバーセキュリティに関する企画・立案、総合調整

内閣サイバーセキュリティセンターは、国のサイバーセキュリティの実務を担っています。

不正アクセス禁止法（不正アクセス行為の禁止等に関する法律）

不正アクセス禁止法（正式名称：不正アクセス行為の禁止等に関する法律）は、インターネットなど、コンピューターネットワーク通信での不正アクセス行為と、不正アクセスを助ける行為を規制するための刑法です。この法律では、「不正アクセスの行為者に対する規制」と「アクセス管理者の防御対策とそれに対する行政の援助」の両面から不正アクセスの防止を図っています。

■アクセス制御機能と不正アクセス行為

不正アクセス禁止法では、アクセス管理者はアクセス制御機能により利用者を制限することが推奨されています。このアクセス制御を不正に突破してコンピューターにアクセスすることを不正アクセスといい、不正アクセス禁止法第四条で次の3つが規定されています。

①アクセス制御機能のあるコンピューターに対し、他人のID・パスワードを使用して、コンピューターの認証を不正に突破すること。

②アクセス制御機能のあるコンピューターに対し、その脆弱性や設定ミスを突き、攻撃コードや攻撃ツールを使用して認証を回避してコンピューターに不正にアクセスすること。

③ネットワークで接続された他のコンピューターのアクセス制御機能によって利用が制限されているコンピューターに対し、攻撃コードや攻撃ツールを使用して認証を回避してコンピューターに不正にアクセスすること。

①は認証を不正に突破し、②は認証を回避して不正にコンピューターにアクセスします。③は認証を回避して不正にネットワークにアクセスし、ネットワーク上にある目的のコンピューターにアクセスします。

■不正アクセスに関する罰則・刑罰

不正アクセス禁止法において、具体的にどういった行為が処罰の対象になるか、次に簡単にまとめました。

①不正アクセス罪

第二条で不正アクセス行為の禁止が明示されています。不正アクセス行為をした場合に、この罪に問われる可能性があります。

②不正取得罪

第三条で不正取得行為の禁止が明示されています。不正取得罪は、不正アクセス行為の用に供する目的で、他人のID・パスワードを取得した場合に、この罪に問われる可能性があります。

③不正助長罪

第四条で不正アクセス行為を助長する行為の禁止が明示されています。業務上の理由や、その他正当な理由がない場合に、他人のID・パスワードを第三者に提供した場合に、この罪に問われる可能性があります。

④不正保管罪

第五条で他人の識別符号を不正に保管する行為の禁止が明示されています。不正アクセス

行為の利用する目的で、不正に取得された他人のID・パスワードを保管した場合に、この罪に問われる可能性があります。

　⑤不正入力要求罪

　第六条で識別符号（ID・パスワード）の入力を不正に要求する行為の禁止が明示されています。アクセス管理者を装い、利用権者に対し、ID・パスワードを入力することを求めるWebサイト（フィッシングサイト）を公開したり、ID・パスワードを入力することを求める情報を電子メール（フィッシングメール）で送信した場合に、この罪に問われる可能性があります。

個人情報保護法（個人情報の保護に関する法律）

　個人情報保護法（正式名称：個人情報の保護に関する法律）は、個人情報を取り扱う民間業者が遵守するべき義務を定めた経済法です。この法律は、個人情報は何であるかを定義し、その有用性に配慮しつつ、個人の権利利益を保護することを目的としています。

■個人情報

　個人情報保護法が定義する**個人情報**とは、第二条により次の通り定義されています。"生存する個人に関する情報であって、当該情報に含まれる氏名、生年月日その他の記述などにより特定の個人を識別することができるもの（他の情報と容易に照合することができ、それにより特定の個人を識別することができることとなるものを含む。）。または個人識別符号を含むもの。"

　平たくいうと、生存する個人の情報であり、特定の個人を識別できるものと定義されています。個人情報の具体的な例を次にまとめました。

　・氏名や、氏名と関連づけられた情報（生年月日、年齢、住所、電話番号など）

　・個人を識別できる画像、動画、音声など

　・個人を識別できる購買情報、交通機関の利用情報など

　・ホームページ、SNS（ソーシャル・ネットワーク・サービス）などで公にされている特定の個人を識別できる情報

■個人識別符号

　個人識別符号とは、個人の身体的特徴や個人に割り当てられた番号をコンピューターなどで読み取れるように変換した文字・番号・記号などのこと。

　・DNA情報、目の虹彩パターン、声紋、指紋・掌紋など。

　・マイナンバー、基礎年金番号、運転免許証番号、旅券番号など。

■マイナンバー法

　マイナンバー法（正式名称：行政手続における特定の個人を識別するための番号の利用等に関する法律）は、国民及び法人に個人番号、法人番号を割り当て、この利用などに関して必要な事項を規定した行政手続法です。

■個人情報とプライバシー

　個人情報とは、個人と他人とを識別する情報をいい、個人の特定ができるかがポイントとなります。プライバシーとは、その人の公開されたくない私的な情報や事柄をいい、個人の心情がポイントとなります。個人情報とプライバシーとでどちらにも当てはまる情報もありますが、上記の通り2つの論点は異なります。

■プライバシーマーク（Pマーク）

プライバシーマーク（通称：Pマーク）は、事業者の個人情報保護体制に対する第三者認証制度です。Pマークの認定は、一般財団法人日本情報経済社会推進協会 (JIPDEC) が行っており、認定を受けた事業者は付与番号を受け、プライバシーマークの利用が認められます。事業者はPマーク表示することにより、対外的に自社の個人情報管理体制の適切性を示すことができます。また、Pマークは有効期間が2年で、認証を継続する場合は更新手続きが必要です。更新回数は付与番号の横に枝番号として表示することができますので、その組織がどのくらいの期間Pマークの認定を受けているかを表すことができます。

セキュリティ関連ガイドライン

実際に自組織にセキュリティ対策を行う際には、どこから手をつけてよいか戸惑ってしまうかもしれません。そういった場合には、IPA（独立行政法人情報処理推進機構）や経済産業省が公開しているガイドラインを手がかりにしてみるとよいでしょう。

■中小企業の情報セキュリティ対策ガイドライン

IPA（独立行政法人情報処理推進機構）が提供しているガイドラインです。このガイドラインは、中小企業がサイバーセキュリティ対策を行うにあたり必要となるセキュリティに対する考え方や、具体的な施策が示されており、会社内のサイバーセキュリティを向上させるために、必要なことを一通り確認することができます。また付録として、自社のセキュリティ診断を行うためのチェックシートや、クラウドサービスを安全に使用するための手引きなどが用意され実用的な内容になっています。

・IPA：中小企業の情報セキュリティ対策ガイドライン

https://www.ipa.go.jp/files/000055520.pdf

・5分でできる！情報セキュリティ自社診断

https://www.ipa.go.jp/files/000055848.pdf

・クラウドサービス安全利用の手引き

https://www.ipa.go.jp/files/000072150.pdf

■サイバーセキュリティ経営ガイドライン

経済産業省がIPAと共に策定し、提供しているガイドラインです。このガイドラインは、IT企業やITの利活用が必要不可欠な企業の経営者向けに、経営者のリーダーシップの下で、サイバーセキュリティ対策を推進するためのガイドラインとなっています。サイバー攻撃から企業を守る観点で、経営者が認識する必要のある「3原則」や、経営者が情報セキュリティ対策を実施する上での責任者となる担当幹部（CISOなど）に指示すべき「重要10項目」などが具体的にまとめられています。こちらのガイドライにも付録がついています。インシデント発生時に組織内で整理しておくべき事項では、情報漏洩やマルウェア感染などのシチュエーション別に整理しておくべき内容がまとめられおり、実用性の高いものになっています。

・経済産業省：サイバーセキュリティ経営ガイドライン

https://www.meti.go.jp/policy/netsecurity/downloadfiles/guide2.0.pdf

・付録C インシデント発生時に組織内で整理しておくべき事項

https://www.meti.go.jp/policy/netsecurity/downloadfiles/CSM_Guideline_app_C.xlsx

索引 Index

┃ 著者プロフィール ┃

中村 行宏（なかむら ゆきひろ）
サイバーエデュケーション株式会社、代表取締役。SIベンダーにて、システム開発／構築、インフラを担当。その後、外資系セキュリティベンダーにて、セキュリティ診断、インシデントレスポンス、コンサルティングに従事。

若尾 靖和（わかお やすかず）
システムエンジニアとして15年活動し、主に公共・金融システムの運用保守、インフラ設計・構築を担当。現在はセキュリティエンジニアへ転職し、サイバーセキュリティに関連するサービスの検討・新規開発を担当。

林　静香（はやし しずか）
開発エンジニアから脆弱性診断士を経て、コンサルタント、事業会社のセキュリティ担当まで、セキュリティの現場に多様な立場で関わり、多角的な気づきを得る。現在の活動テーマはセキュリティリテラシーの浸透。

- 装丁 ──────────── 井上新八
- 本文デザイン ────── BUCH⁺
- DTP ──────────── オンサイト
- 本文イラスト ────── オンサイト
- 編集 ──────────── オンサイト
- 担当 ──────────── 宮崎主哉

図解即戦力
情報セキュリティの技術と対策が
これ1冊でしっかりわかる教科書

2021年5月21日　初版　第1刷発行

著　者　　中村行宏、若尾靖和、林　静香
発行者　　片岡 巌
発行所　　株式会社技術評論社
　　　　　東京都新宿区市谷左内町 21-13
　　　　　電話　　03-3513-6150　販売促進部
　　　　　　　　　03-3513-6160　書籍編集部
印刷／製本　株式会社加藤文明社

ISBN978-4-297-12106-8 C0034　　　　　　　Printed in Japan

■ お問い合わせについて

- ご質問は本書に記載されている内容に関するものに限定させていただきます。本書の内容と関係のないご質問には一切お答えできませんので、あらかじめご了承ください。
- 電話でのご質問は一切受け付けておりませんので、FAXまたは書面にて下記までお送りください。また、ご質問の際には書名と該当ページ、返信先を明記してくださいますようお願いいたします。
- お送り頂いたご質問には、できる限り迅速にお答えするよう努力いたしておりますが、お答えするまでに時間がかかる場合がございます。また、回答の期日をご指定いただいた場合でも、ご希望にお応えできるとは限りませんので、あらかじめご了承ください。
- ご質問の際に記載された個人情報は、ご質問への回答以外の目的には使用しません。また、回答後は速やかに破棄いたします。

■ 問い合わせ先
〒 162-0846
東京都新宿区市谷左内町 21-13
株式会社技術評論社 書籍編集部
「図解即戦力　情報セキュリティの技術と対策がこれ1冊でしっかりわかる教科書」係
FAX：03-3513-6167
技術評論社ホームページ
https://book.gihyo.jp/116/